KARL HEINZ BURMEISTER

ACHILLES PIRMIN GASSER

1505–1577

Arzt und Naturforscher
Historiker und Humanist

II.
Bibliographie

GUIDO PRESSLER VERLAG WIESBADEN

Herausgegeben in einer ersten Auflage von 800 Exemplaren

Gesamtherstellung: Wiesbadener Graphische Betriebe GmbH

KARL HEINZ BURMEISTER · ACHILLES PIRMIN GASSER

Nobile vincendi genus est patientia,
vincit qui patitur. Si vis vincere disce pati.

Doktor Leonhard Rauwolf,
Arzt aus Augsburg

INHALT DES ZWEITEN BANDES

Inhalt

EINLEITUNG

QUELLENKUNDE ZUR BIOGRAPHIE GASSERS

Der Verfasser hatte bereits früher Gelegenheit gehabt, sich mit der Quellenlage zur Biographie der Humanisten Sebastian Münster (1488–1552) und Georg Joachim Rhetikus (1514–1574) zu befassen. In beiden Fällen ist die Überlieferungslage sehr ähnlich: es gibt relativ wenige Briefe, einige wissenschaftliche Handschriften, Widmungen und Eigentumsvermerke in Büchern, die Äußerungen von Zeitgenossen und schließlich eine ansehnliche Hinterlassenschaft von gedruckten Werken. Das Quellenmaterial ist durchaus überschaubar, so daß sich für die Darstellung kaum Schwierigkeiten ergeben, die Gesamtheit der überlieferten Nachrichten in die Biographie aufzunehmen.

Im Falle Gasser liegen die Dinge anders. Zwei Quellengruppen treten so sehr in den Vordergrund, daß darüber die anderen unwichtig zu werden scheinen: die Briefe und die Widmungen und Eigentumsvermerke in Büchern der Gasserschen Bibliothek. Die Zahl der Briefe beträgt das Doppelte oder Dreifache der Briefüberlieferung bei Rhetikus und Münster. Entsprechend steigt natürlich die Stoffmenge an, die für die Biographie zu bearbeiten ist. Zwar bleibt auch bei dem Briefwechsel Gassers die Überschaubarkeit noch erhalten. War es aber bei den 50 Briefen von Münster und Rhetikus noch möglich, die brieflichen Nachrichten umfassend in die Darstellung einzuflechten, so ist es bei den über 150 Briefen des Gasser-Briefwechsels ungleich schwieriger, diese Nachrichten in derselben umfassenden Weise in die Biographie zu übernehmen. Hier mußte eine

1

Auswahl getroffen werden und vieles unberücksichtigt bleiben, was für die Geschichte des Humanismus und der Reformation erwähnenswert gewesen wäre. Um so dringlicher erscheint deswegen eine Edition dieser Briefe geboten, die noch eine Fülle von Einzelheiten enthalten, die für die Geistesgeschichte, Kulturgeschichte, Reformationsgeschichte und auch für die politische Geschichte von Interesse sind. Dies ist schon durch die Korrespondenten Gassers gewährleistet: es sind hervorragende Gelehrte wie Konrad Gessner (1516–1565) oder Andreas Vesalius (1515–1564), führende Reformatoren der gnesiolutheranischen Richtung wie Flacius Illyricus (1520–1575), Tilmann Heshusius (1527–1588) oder Johann Friedrich Coelestinus († 1577), und zahlreiche Persönlichkeiten des öffentlichen Lebens: Kurfürst Johann Friedrich von Sachsen (1503–1554), Herzog Johann Albrecht von Mecklenburg (1525–1576) und andere Herzöge, Grafen und Freiherren, aber auch eine größere Zahl Augsburger Patrizier aus den Geschlechtern der Fugger, Welser, Ehem, Rehlinger und Haintzel.

Der Stoff wird aber vollends unübersichtlich, wenn wir uns der Gruppe der Widmungen und Eigentumsvermerke zuwenden. Hier bleibt es nicht dabei, daß die Zahl der Widmungen und Eigentumsvermerke einige Hundert (vergleichsweise sind es bei Rhetikus insgesamt nur 17) übersteigt. Vielmehr hat sich ein Katalog der Bibliothek Gassers mit etwa 2900 Titeln erhalten. Es geht über die Zielsetzung einer biographischen Darstellung hinaus, auf alle diese Bücher, die im Besitz Gassers waren, einzugehen, obwohl man sich bewußt bleiben muß, daß jedes einzelne dieser Bücher Gasser zu einer geistigen Auseinandersetzung herausgefordert hat. Und, was noch wichtiger ist, die vielen hundert erhaltenen Bücher weisen fast ausnahmslos das Jahr ihres Erwerbes auf, so daß sich die einzigartige Gelegenheit bietet, an Hand dieser Quelle auch geistige Entwicklungen zu verfolgen. Diese Fülle läßt aber praktisch nur zu, eine Auswahl zu treffen, die um so schwieriger ist, als diese Quelle bis heute von den Gasserbiographen völlig unberührt geblieben ist. Die

2

künftige Diskussion um Gasser dürfte aber gerade aus dieser Quelle belebt werden, da jeder einzelne Bearbeiter seine Auswahl je nach seinem Standpunkt trifft. Dadurch können sich beachtliche Verschiebungen im Gasserbild ergeben, so daß heute schon mit Sicherheit gesagt werden kann, daß unserer Gasserbiographie schon bald andere nachfolgen werden. Infolge dieser glücklichen Quellenlage wird es immer eine Diskussion um Gasser geben, die auch neue Ergebnisse zeitigen kann.

Der große Bücherbestand Gassers ließ sich ebenfalls nicht in diese Bibliographie einbauen. Es schien vielmehr sinnvoller, diesen Bibliothekskatalog einer gesonderten Publikation vorzubehalten. Ein solcher Katalog hätte auszugehen von einer Edition des Gasserschen Verzeichnisses, müßte aber dann darüber hinausgehen, indem die erhaltenen Buchbestände in dieses Verzeichnis einzuordnen wären, wobei die handschriftlichen Bemerkungen Gassers mitaufgenommen werden müßten.

Grundlage für die Zuordnung sind die Bestände der Vatikanischen Bibliothek, um deren Publikation sich Enrico Stevenson und Giovanni Mazzini bereits große Verdienste erworben haben. Es sind jedoch darüber hinaus noch weitere Bestände aus der Bibliothek Gassers zu berücksichtigen, etwa in der Staats- und Stadtbibliothek Augsburg, in der Stadtbibliothek Hagenau, in der Fürstlich Oettingen-Wallersteinschen Bibliothek in Harburg (inzwischen veräußert), in der Badischen Landesbibliothek in Karlsruhe (größtenteils Kriegsverlust), in der Universitätsbibliothek (Biblioteka Jagiellońska) in Krakau, in der Wellcome Historical Medical Library in London, in der Stadtbibliothek Mainz, in der Biblioteca Barberiana in Rom, in der Universitätsbibliothek Uppsala und in der Bibliothek des Schottenklosters in Wien.

Diese größtenteils zufällig gemachten Entdeckungen zeigen die weite Streuung der Gasserbibliothek. Hier erweist sich einmal mehr, wie wertvoll es wäre, wenn die Besitzvermerke der Bücher in den öffentlichen Bibliotheken einmal auf breiter Basis systematisch erfaßt würden. Es steht zu erwarten, daß dabei noch manches bisher unbekannte Buch aus der Bibliotheca Gasseriana entdeckt würde, wodurch eine künftige Edition des Bibliothekskataloges bereichert werden könnte.

Die Archivalien halten sich im Rahmen des Üblichen. Wir besitzen aus der Studienzeit Gassers die Matrikeleintragungen von Wittenberg, Wien, Avignon und Montpellier; in Orange konnte dagegen mangels der einschlägigen Universitätsakten eine Anwesenheit Gassers nicht nachgewiesen werden. Sonstige archivalische Quellen über Gassers Tätigkeit als Arzt und Bürger sind in den städtischen Archiven von Lindau, Feldkirch, Augsburg und Frankfurt a. M. sowie im Palastarchiv Hohenems vorhanden, insbesondere Steuerbücher, Anstellungsdekrete, Bürgerrechtslisten und Zensurakten.

Achilles Pirmin Gasser war ein überaus fruchtbarer Schriftsteller; seine hinterlassenen Werke sind eine wesentliche Quelle für seine Biographie. Die Bibliographie teilen wir in die handschriftlichen Werke, die gedruckten Werke und das Schrifttumsverzeichnis.

Was zunächst die Handschriften betrifft, so haben sich – ganz ähnlich wie bei Münster und Rhetikus – bei Gasser einige Kollegienhefte erhalten. Ein weiterer größerer Bestand sind die Abschriften seiner »Annales Augstburgenses«, die infolge eines Druckverbotes recht zahlreich sind. Bei der Beschreibung der Handschriften wurde wiederum versucht, alle Angaben über Format, Umfang, Beschreibstoff, Ort und Zeit der Niederschrift, Inhalt und Illustrationen zu geben und auch, soweit dies möglich war, den Schreiber zu nennen und die Geschichte der Handschrift kurz zu skizzieren.

In Übereinstimmung mit der traditionellen Quellenkunde verwenden wir hier wie früher einen rein formellen Handschriftenbegriff. Diese eingefahrene Gewohnheit verlangt jedoch einige kritische Bemerkungen. Zunächst ist davor zu warnen, die handschriftlichen Kolleghefte als die einzige Quelle für Gassers Studienzeit anzusehen. Das in der Einleitung zum zweiten Band meiner Arbeit über Georg Joachim Rhetikus (S. 2 f.) dargelegte Interdependenzprinzip hat uns auf eine

4

sehr wichtige Quelle hingeführt, die völlig gleichberechtigt neben den Kollegienheften Gassers steht, die edierten Wiener Tannstettervorlesungen von Michael Herr, der sich gleichzeitig mit Gasser an der medizinischen Fakultät in Wien eingeschrieben hatte und später auch in Montpellier wiederum mit Gasser zusammengetroffen war. Zeigen schon die Kollegienhefte Gassers eine Mischung von handschriftlichen und gedruckten Texten, so gilt dies erst recht für einen anderen Bestand, der zwischen beiden Gruppen liegt: die mit handschriftlichen Bemerkungen versehenen Bücher Gassers. Diese erscheinen regelmäßig nicht unter den Handschriften, würden aber eigentlich hierher gehören. Ihre Sichtung und Erfassung wird noch eine große Aufgabe für die Zukunft sein. Auch von dort her steht noch eine wertvolle Erweiterung des Gasserbildes zu erwarten.

Den Hauptteil der Bibliographie machen die gedruckten Werke Gassers aus. Wie schon in den früheren Fällen wurde auch hier versucht, auf einer möglichst breiten Grundlage aufzubauen, um die angestrebte Vollständigkeit zu sichern. Es wurden die Bestände von etwa 350 Bibliotheken in Europa, Israel, den Vereinigten Staaten und Kanada untersucht. Dennoch ist es nicht gelungen, ein Werk wie das seit dem 18. Jahrhundert verschollene »Sciaterium pediarium« ausfindig zu machen. Eine andere Schwierigkeit ist die Feststellung der Ausgaben des Augsburger Pestbüchleins, das teilweise anonym erschienen ist. Nicht nachzuweisen war auch eine deutsche Ausgabe der »Historiarum Epitome«, wobei es allerdings fraglich ist, ob eine solche überhaupt existiert hat.

In der Anordnung sind wir diesmal vom chronologischen Prinzip abgegangen, um an dessen Stelle die sachlich begründetere und der Vielseitigkeit des Humanisten Gasser mehr entgegenkommendere Ordnung nach Fachgebieten zu setzen. Innerhalb der Fachgebiete wurde nach chronologischem Prinzip geordnet. Bei der Titelaufnahme folgen wir wiederum der Methode von Josef Benzings KöbelBibliographie, die auch unseren Bibliographien von Münster (1964) und Rhetikus (1968) zugrunde liegt.

Das Schrifttumsverzeichnis will die gesamte Literatur über Gasser erfassen, verzichtet aber auf die Artikel in enzyklopädischen Werken. Sonstige Hilfsmittel, insbesondere die benutzten bibliographischen Hilfsmittel, wurden in das Schrifttumsverzeichnis aufgenommen, so daß dieses über den engeren Rahmen der Sekundärliteratur über Gasser hinausgeht.

Während die biographische Darstellung von Sebastian Münster und Georg Joachim Rhetikus jeweils in ein dreiteiliges Werk gewachsen ist, hat die Beschäftigung mit Gasser gezeigt, daß es nicht möglich ist, dieses Prinzip zu einer Regel zu machen und es auf jeden Humanisten zu übertragen. Im Falle Gassers fordert die gute Kenntnis, die wir von seiner Bibliothek haben, daß diese eine eigene monographische Darstellung findet. Zugleich bedingt die Fülle des Stoffes, daß Editionen sowohl des Bibliothekskataloges als auch der Briefe beinahe unerläßlich sind, wenn man das Leben Gassers in seiner Gesamtheit überblicken will. Insofern muß auch diese Bibliographie ein Teilstück auf dem Weg zu einer vollendeten Gasser-Biographie bleiben. Aber selbst ein vierteiliges Werk kann erst den Weg in Richtung auf eine vollendete Gasser-Biographie eröffnen. Denn erst die Kenntnis der umfassenden Quellen kann jene Diskussion entfachen, die eine allmähliche geistige Durchdringung bringt, an deren Ende – vielleicht erst nach Generationen – die vollendete Gasser-Biographie stehen kann.

Diese Feststellung, die auch an die Ausführungen des Vorwortes zum ersten Band dieser Gasser-Biographie anknüpft, veranlaßt uns, an dieser Stelle auf eine grundsätzliche Überlegung hinzuweisen, die jüngst Paul Oskar Kristeller an die Erforscher des Humanismus gerichtet hat und deren Beherzigung nicht nur allein den weiteren wissenschaftlichen Fortschritt garantiert, sondern zugleich auch solche als undankbar geltenden Editionsarbeiten als ein dankenswertes Anliegen erscheinen läßt. In der am 20. Mai 1969 in Basel im Rahmen der »Vorträge der Aeneas-Silvius-Stiftung an der Universität Basel« gehaltenen Vorlesung »Der italienische Humanismus und seine

Bedeutung« (Basel 1969, S. 8) führte Kristeller aus: »Man hört heute viele Stimmen, die vor allem nach Synthese verlangen und das langsame und geduldige Studium der Quellen für unnötig erklären. Für mich ist das die Stimme des Teufels, und eine Art Sophistik der Faulheit, die sich oft besonders geistig gebärdet, ebenso wie wir es in der ethischen und politischen Debatte mit der Sophistik des Lasters und des Verbrechens zu tun haben, die sich auch gern als besonders moralisch gebärdet. Die sachliche Forschung darf nicht einfach als Pedanterie abgetan werden, sie hat einen theoretischen und sogar einen moralischen Wert, der in der jetzigen Situation mehr als je klar und kompromißlos verteidigt werden muß.«

Achilles Pirmin Gasser in Feldkirch. Holzschnitt aus Sebastian *Münster*:
Kosmographie. Basel, Sebastian Henric-Petri 1614

Achilles Pirmin Gasser in Augsburg. Holzschnitt aus Sebastian *Münster*:
Kosmographie. Basel, Sebastian Henric-Petri 1614

I. HANDSCHRIFTEN

1. MEDIZINISCHE SCHRIFTEN

a) Kollegheft

1.

Karlsruhe LB, Hs. Rastatt 78

[Fragmentum τῶν σχολιῶν ἰατρικῶν in I partem domini Canticorum
Auicenne I: Magenbuchij Vuittemberge lectum anno. 1523. Rectore
Io: Schwertfegerio]

1523/24, Papier, 17,1 × 11 cm, 111 Bl. (die beiden letzten Bl. heraus-
geschnitten). Auf Bl. 33ᵛ ff. und Bl. 56 ff. folgen Scholien des
Augustin Schürpf zu Hippokrates. Auf Bl. 92 ff. Bemerkungen des-
selben zum 1. Buch des Galen »De morbibus et symptomatibus«.
Auf Bl. 102 eine Periodentafel von Johann Magenbuch. Auf Bl. 102ᵛ
verschiedenes Medizinisches.

Alfred Holder, Die Handschriften der Badischen Landesbibliothek,
3. Band, Durlacher und Rastatter Handschriften, Karlsruhe 1895,
S. 124–127.

b) Pestschrift

2.

Gotha FB, Chart. B 353 (3)

(V)nterricht wieder die ‖ Pestilentz So itzt an allen ‖ örtern einreisset
ge-‖stellet durch ‖ Den Herrn D. Achillem Pirmi-‖neum Gassarum
Lindensem ‖ Der Stadt Augsburg ‖ Physicum. ‖ Anno 1564. ‖

17. Jahrhundert, Papier, Quart, 4 Bl.

c) Rezepte und Konsilien

3.

Karlsruhe LB, Hs. Rastatt 64, Bl. 65ᵛ

RENES ‖ Purgatio leuis q̄ et sum̄o calculum ‖ prouocat cum urina ‖
... ‖ Vtatur von Schellenberg ‖ Ritter Vogt Veltkirch ‖

Erste Hälfte des 17. Jahrhunderts, Papier, 19,1 × 14,7 cm, 1 Seite
in einer Rezeptsammlung, zusammengestellt von Georg Hieronymus Welsch.

Alfred Holder, Die Handschriften der Badischen Landesbibliothek,
3. Band, Durlacher und Rastatter Handschriften, Karlsruhe 1895,
S. 145 f. (S. 145).

4.

Karlsruhe LB, Rastatt 64, Bl. 162ʳ–169ʳ

Processus in cura Astmatis ex catarrho ‖ Illustrissimi principis Dn̄i
Friderici Saxonije ‖ ducis Electoris senioris primo geniti cla: ‖ virj
D. D. Achillis. P. Gasseri Augusta-‖norum archiatri ‖

Erste Hälfte des 17. Jahrhunderts, Papier, 19,1 × 14,7 cm, 10 Seiten
in einer Rezeptsammlung, zusammengestellt von Georg Hieronymus Welsch.

Alfred Holder, Die Handschriften der Badischen Landesbibliothek,
3. Band, Durlacher und Rastatter Handschriften, Karlsruhe 1895,
S. 145 f. (S. 146).

5.

Danzig StB, Ms. 2318, Bl. 251ᵛ–254

Judicium et Censura Achillis P. ‖ Gassari L Medici Augustani de
ir-‖rationalibus Joh. de Suchten propositionibus. ‖ ... ‖

17. Jahrhundert, Papier, Folio, 7 Seiten in einer Sammelhandschrift.
Das Gutachten wurde gemeinsam von Gasser und Lukas Stengel

abgefaßt. Am Ende Brief von Konrad Gessner, »Singulari et fa-
moso Viro Joanni de Suchten ‖ medicum agenti in Polonia.« ‖,
Zürich am 8. Februar 1564.

d) Apothekenordnung

6.

Erlangen UB (ohne Signatur)

Pro ornanda optima ‖ & inculpabili Apoteca / q̄ ‖ Reipublicę & utilis
& lau-‖dabilis sit, Oportet ut ip-‖sius Magister ac Dns ‖ existat. ‖
. . . ‖ A. P. G. L. ‖

1564, Papier, Folio, 1 Bl. (Rückseite leer). Autograph Gassers.

e) Balneologie

7.

Erlangen UB, Briefsammlung Trew, A. P. Gasser 2

De varijs thermis. ‖ D. Achilles. ‖

1558, Papier, Folio, 1 Bl. Autograph Gassers. Widmung an Samuel
Quickelberg, Augsburg am 22. Februar 1558.

2. NATURWISENSCHAFTLICHE SCHRIFTEN

a) Astronomie

8.

Karlsruhe LB, Hs. Rastatt 36

[Astronomica et Mathematica]

1. Drittel des 16. Jahrhunderts, Papier, 21,1 × 16,4 cm, 18 Bl. u.
232 Bl. Bl. 1–18 Druck »Computus Nurēbergensis« (Hain 5600).
Inhalt der Handschrift: Bl. 1 aus dem Almagest des Ptolemäus.
Bl. 11 Regula falsi. Bl. 15 Astronomische Tafeln. Bl. 35 Petrus
Gaszowiec, Tabulae aureae. Bl. 39 Aomar, De imbribus. Bl. 43^v
Astronomische Tafeln und Jahrbücher. Bl. 102^v Johannes de
Lubeck, Prognosticum. Bl. 109 Bernhardus Manlechen, Tracta-
tulus. Bl. 114 Nativitäten Friedrichs III., Maximilians I. u. a.
Bl. 132 Petrus Gaszowiec, Naturae particulares signorum. Bl. 142
Astronomische Figuren. Bl. 155 Albertus de Brudzow, Commen-
tariolus super Theoricas novas Georgii Purbachii. Bl. 191 Com-
positio horologiorum noctis. Bl. 193 De astrolabii compositione.
Bl. 207 Canones super astrolabium Ptolemaei.
Vorbesitzer: Gassers eigenhändiger Vermerk »Maij 2 die 1530
4 krijtzer emptus a quodam .S. figulo Lindauij«.

Alfred Holder, Die Handschriften der Badischen Landesbibliothek,
3. Band, Durlacher und Rastatter Handschriften, Karlsruhe 1895,
S. 124–127.

b) Kartographie

9.

Basel UB, AA 128

Dn̄. Sebastiano Munstero ‖ suo Achilles P: Gassarus ‖ L: medicus
Rhetię ‖ hanc partē proprijs ma-‖nibus exaratā D: D: ‖ 1534 ‖ mēse
Martio ‖

1534, Papier, 44,1 × 32,8 cm, 1 Bl. Autograph Gassers. Widmung
an Sebastian Münster in Basel, [Lindau] im März 1534.

Werner Siegrist, A Map of Allgäu, 1534, Imago Mundi 6, Stockholm 1950, S. 27–30.

3. HISTORISCHE SCHRIFTEN

a) Annales Augustani

10.

Augsburg SStB, 2° Cod. Aug. 41

Annales Augustani || Quos || Achilles Pirminius Gasser Lin-||daviensis Medicinæ Doctor, et || Physicus Augustanus celebris || Conscripsit || s[ua] M[anu] || Patre Vlrico Gassaro insigni milite et Chirurgo, || nec non Vrsulâ, Casparis Nobilis à Randeck || filiâ, natus, obiit anno 1577. ætatis suæ 72. ||

2. Hälfte des 16. Jahrhunderts, Papier, 33 × 22,5 cm, 14 Bl., 725 S. Handexemplar Gassers (Titel jedoch und Text ab S. 640 von anderer Hand) mit zahlreichen Streichungen und Ergänzungen von Gassers Hand und anderer Hand. Viele eingeklebte Zettel, darunter ein von Gasser gezeichnetes Augsburger Wappen nach einem Siegel aus dem Jahre 1282.

11.

Berlin SB, Ms. Lat. Fol. 453

ANNALES CIVITATIS AC REIPVB-||LICÆ AUGSTBVRGEN-SIS, PER ACHIL-||LEM PYRMINIVM GASSERVM LIN-||DA-VIENSEM, MEDICVM DOCTOREM, || NON PARVO LABORE PERDIV COLLECTI. || A || Θεὸς καὶ || Ω || Ad lectores, Operis huius || aggregator. || Ciuibus Augstburgi quę recta aut praua ge-rantur, || Simplicibus verbis vos docet iste Liber. || ⋆ ||

2. Hälfte des 16. Jahrhunderts, Papier, 41,5 × 28 cm, 330 Bl. Auto-graph Gassers. Verschiedene Wappen im Text. Auf Bl. 5^r eigen-

händige Widmung Gassers an David Bürgel, Augsburg am 6. November 1577. Exlibris mit dem Wappen von David Bürgel.

12.

Augsburg SStB, 2° Cod. Aug. 40

℃ || ANNALES AVGV-||STANI, DE CELEBERRIMA || VRBE IMPERIALI AVGVSTA || VINDELICORVM: DEQVE || EIVS-DEM SITV ET ORI-||GINE, VARIARVM RERVM CO-||PIA, ÆDIFICIORVM TAM PV-||BLICORVM, QVAM PRIVATORVM. || MAGNIFICENTIA: FORMA || GVBERNATIONIS POLITI-|| CÆ; REBVS GESTIS PACIS ET || BELLI TEMPORE; FRE-QVĒ-||TIA POPVLI: PROSPERTA-||TE AERIS; SCHOLÆ ET || ECCLESIÆ STATV; PA||TRICIORVM SVCCES-||SIONE, CIVIVM VRBA-||NITATE, ALIISQVE || ANTIQVIS MONV-|| ℃ MENTIS ℃ || a || Clarissimo et Doctissimo viro, ACHILLE || PYRMINIO GASSERO, LINDAVI-||ENSI, Piæ memoriæ Reipub: Augustanæ Doctore Medico, et Physico sagacissimo et felicissimo || olim Conscripti. || . ℃ . || Omnia si Sueuiæ perlustres climata terræ: || Non ē Augusta pulchrior urbe locus. || ∻ M.D.XCVI. ∻ ||

1596, Papier, 32×20,5 cm, 4 Bl., 132 gez. S. (Druck: vgl. gedruckte Werke Nr. 46), S. 133–846, 72 Bl., mehrere Dutzend Bl. (leer). Auf Bl. 4^r Hexastichon auf Gasser. Bl. 4^v ein längeres deutsches Gedicht auf das Augsburger Wappen (fehlt in den anderen Ausgaben).

13.

Augsburg SStB, 2° Cod. Aug. 43

ANNALES CIVITATIS AC REI-||PVBLICÆ AVGSTBVRGEN-SIS, || PER ACHILLEM PYRMINIVM || GASSERVM LINDA-VIENSEM, || MEDICVM DOCTOREM, NON || PARVO LABORE PERDIV COL-||LECTI. || A || Θεὸς καὶ || Ω || Ad lectorem operis huius aggregator. || Ciuibus Augstburgi quæ recta aut praua gerantur, || Simplicibus verbis te liber iste docet. ||

2. Hälfte des 16. Jahrhunderts (auf dem Einband ist die Jahreszahl 1576 eingedruckt), Papier, 41,5 × 28 cm, 11 Bl., 637 gez. S. Prachthandschrift mit vielen kolorierten Wappen.

14.

Augsburg SStB, 2° Cod. Aug. 45/46

ANNALES. CIVITATIS. AC. ‖ REIPUBLICAE. AUGSTBUR-‖ GENSIS: PER. ACHILLEM. ‖ PYRMINIUM, GASSERUM. ‖ LINDAVIENSEM. MEDICUM. ‖ DOCTOREM / NON. PARVO LA-‖BORE. PERDIU, COLLECTI. ‖ A ‖ *Θεὸς καὶ* ‖ *Ω* ‖ Ad Lectorem Operis ‖ hujus aggregator: ‖ Civitas Augstburgi quę recta aut **prava** ‖ gerantur / ‖ Simplicibus verbis te Liber iste docet. ‖

17. Jahrhundert, Papier, 27,5 × 20 cm. Zwei Bände: I = 17 Bl., 1049 gez. S., 1 S. (leer), 21 Bl. (leer); II = 5 Bl. (leer), 633 gez. S., mehrere hundert leere Bl. Vorbesitzervermerk: »Christoph Sigismund Amman 1710«.

15.

Lindau StA, P. I. 23

ANNALES CIVITATIS AC ‖ REIPUBLICÆ AUGSTBUR-‖ GENSIS, PER ACHILLEM ‖ PYRMINIUM GASSARUM ‖ LINDAVIENSEM MEDICUM ‖ DOCTOREM, NON PARVO LA:‖BORE PERDIU COLLECTI. ‖ A ‖ *Θεὸς καὶ* ‖ *Ω* ‖ Ad lectorem Operis hu-‖jus aggregator. ‖ Civibus Augstburgi quæ recta aut prava ‖ gerantur ‖ Simplicibus verbis te liber iste docet ‖

17. Jahrhundert, Papier, 33,7 × 21 cm, keine Paginierung. Auf dem Einbandrücken ist als Schreiber M. Stum angegeben.

16.

Nürnberg GM, Ms. 2° HR. 51

ANNALES CIVITATIS AC ‖ REIPVBLICÆ AVGSTBVR-‖GENSIS. PER ACHILLEM ‖ PYRMINIVM GASSERVM ‖ LINDA-

VIENSEM MEDICVM ‖ DOCTOREM. NON PARVO LA-‖BORE PERDIV COLLECTI. ‖ A ‖ Θεὸς καὶ ‖ Ω ‖ Ad lectorem operis ‖ huius aggregator. ‖ Ciuibus Augstburgi quæ recta aut praua ge-rantur, ‖ Simplicibus verbis te liber iste docet. ‖

2. Hälfte des 16. Jahrhunderts, Papier, 43×29 cm, 4 Bl., 8 Bl., 500 S. Autograph Gassers. Text bis 1576 mit Nachträgen von späterer Hand. 182 Wappen.

Vorbesitzer: Der k.k. Rittmeister Heyer-Rosenfeld, der eine um-fangreiche genealogische und heraldische Bibliothek dem Ger-manischen Nationalmuseum hinterlassen hat.

17.
Wolfenbüttel HAB, Cod. Guelf. 17. 11 Aug. 2°
[Historia Augustana]

1605, Papier, 32×21 cm, 449 Bl. Von einer einzigen Hand ge-schrieben. Auf Bl. 445^r–449^r verschiedene (nicht kolorierte) Wappen.

18.
Augsburg StA, Schätze Nr. 101/I–II

ANNALES. ‖ DE VETUSTATE ORIGINIS, ‖ AMŒNITATE SITVS SPLEN-‖DORE ÆDIFICIORVM, AC REBVS GESTIS ‖ civium Reipublicæ Augstburgensis, multo ‖ sane labore, summa etiam fide per diu col-‖lecti, et juxta seriem annorum nati-‖vitatis Jhesu Christj, ad Romanorum ‖ Imperatorum Francorumq3 Re-‖gum tempora, nec non tam ‖ ad politicj, quàm Ecclesia-‖sticj ibidem magistratus ‖ fastos, accuratissimo ‖ ordine digesti. ‖ per ‖ A.P.G.L. ‖

Ende 16. Jahrhundert (auf dem Einband ist die Jahreszahl 1619, eingedruckt), Papier, 28×21,5 cm. Zwei Bände: I = 15 Bl. 748 gez. S. (letzte S. leer); II = 5 Bl., S. 749–1211, 3 S. (leer). Zahlreiche kolorierte Wappen. In Band I Kupferstich Gassers ein-geklebt. Brief Gassers an Johann Baptist Haintzel, Augsburg am

20. März 1571. Brief Haintzels an Gasser, Augsburg am 30. Januar 1572. Monogramm des Titels später mit roter Tinte ergänzt: »[A]chillem [P]irminium [G]asserū [L]indaviensem, Medic. Doctor.«

19.

Augsburg SStB, 2° Cod. Aug. 35

Annales || De vetustate originis, amænitate || situs, splendore ædificiorum, ac rebus||gestis ciuium Reipublicæq3 Augstbur-||gensis, multo sanè labore, summa etiam || fide perdiu collecti, et iuxta seriem || annorum natiuitatis Jesu Christi || ad Romanorum Imperatorum, Frā-||corumq3 Regum tempora, nec non || tàm ad Politici, quàm Ecclesia-||stici ibidem Magistratus fa=||stos accuratissimo ordine || digesti per || Achillem P. Gasserum. L. || Medicinarum Doctorem. ||

Ende 16. Jahrhundert, Papier, 32×20,5 cm, 2 Bl., 1487 gez. S., 1 S. (leer), 4 Bl. Ab S. 1447 von zweiter Hand fortgeführt. Viele Marginalien in Rot. Auf dem Innendeckel vorn Kupferstich Gassers eingeklebt. Auf dem Einband Bildnis Kaiser Maximilians II. Vorbesitzervermerk: D. v. S. (Exlibris mit Steinbockwappen).

20.

Augsburg SStB, 2° Cod. Aug. 42

ANNALES || DE VETUSTATE ORIGINIS, AMOENITATE SITVS, || SPLENDORE Ædificiorum, ac rebus gestis civium, Reipublicæq3 || Augstburgensis, multo sanè labore, summa etiam fide perdiu collecti: || et juxta seriem Annorum Nativitatis Jesu Christi, ad Rhomanorū || Imperatorum, Francorumq3 Regum tempora, nec non tàm ad Politici, || quàm Ecclesiastici ibidem Magistratûs Fastos, accuratissimo ordine || digesti. || PER || A.P.G.L. ||

Ende 16. Jahrhundert, Papier, 41,5×29 cm, 15 Bl., 755 gez. S., 1 S., 4 Bl. (leer). Keine Wappen. Auf den Titel folgt der Brief Gassers an Johann Baptist Haintzel, Augsburg am 20. März 1571.

21.

Augsburg SStB, 2° Cod. Aug. 44

[Rot:] ANNALES || D[braun:] e vetustate originis, amænitate si-||tus, splendore ædificiorum, ac re-||bus pestis ciuium Reipublicæq3 || Augstburgensis, multo sanè || labore, summa etiam fide || perdiu collecti, et iuxta || seriem annorum nati-||vitatis Jesu Christi || ad Romanorum Im-||peratorum, Franco||rumq3 Regum tem-||pora, nec non tàm || ad Politici, quàm || Ecclesiastici ibi-||dem Magistra-||tus fastos ac-||curatissimo || ordine di-||gesti. ||

> Ende 16. Jahrhundert, Papier, 30,5 × 20 cm, 1 Bl., 1794 gez. S.,
> 27 Bl., mehrere Dutzend leere Bl. Ab 1571 zwei spätere Hände. Auf
> S. 1–3 Brief Gassers an Johann Baptist Haintzel, Augsburg am
> 20. März 1571. Auf dem Innendeckel vorn autographer Brief Gassers an Johann Baptist Haintzel eingeklebt. Zwei Vorbesitzervermerke: 1. »Emi pro 7. florenos Anno 1615«; 2. »Emi pro
> 6. florenos Anno 1744«.

22.

Augsburg SStB, 2° Cod. Aug. 47/48

ANNALES. || DE VETVSTATE ORIGI-||NIS, AMŒNITATE SITVS, || SPLENDORE ÆDIFICIORVM, AC RE-||bus gestis civium Reipublicæq3 Augstburg-||ensis, multo sanè labore, summa etiam || fide perdiu collecti, || et juxta seriem || annorum nativitatis Jhesu Chri-||sti ad Romanorum Imperato-||rum Francorumq3 regum tem-||pora, nec non tàm ad poli-||tici, quàm Ecclesiastici || ibidem magistratus || fastos, acuratissimo || ordine digesti. || per || A.P.G.L. || [Zierstück]

> Anfang 17. Jahrhundert, Papier, 27,5 × 21,5 cm. Zwei Bände:
> I = 12 Bl., 694 gez. S.; II = 1 Bl., S. 695–1109, mehrere hundert
> leere S. Zahlreiche (nicht kolorierte) Wappen. In Band I Brief Gassers an Johann Baptist Haintzel, Augsburg am 20. März 1571. Brief
> Haintzel an Gasser, Augsburg am 30. Januar 1572. Vorbesitzer-

vermerk: »Pro conventu Augustano ad S. Sepulchrum fratrum minorum strictae Observantiae.«

23.

Gotha FB, Chart. A 204

ANNALES || DE VETVSTATE ORIGINIS AMŒNITATE SITVS, SPLEN-||dore ædificiorum, ac rebus gestis ciuium Rei-publicæq3 Augst-||burgensis, multo sane labore, summa etiam fide perdiu || collecti, et iuxta seriem annorum natiuitatis Ihesu || Christi, ad Rhomanorum imperatorum Fran-||corumq3 regum tempora, nec non tàm ad || politici, quàm ad Ecclesiastici ibidem || magistratus fastos, accuratissimo || ordine digesti, per || A.P.G.L. || ⋆ || [Kupfer-stichporträt Gassers (eingeklebt)]

Ende 16. Jahrhundert, Papier, Folio.

24.

München SB, Cml. 1

[Annales de vetustate originis, amoenitate situs, splendore aedifi-ciorum ac rebus gestis civium Reipublicaeque Augstburgensis, usque ad annum 1576, collecti et digesti per A.P.G.L.]

2. Hälfte des 16. Jahrhunderts, Papier, Folio, 615 Bl.
Catalogus Codicum Latinorum Bibliothecae Regiae Monacensis, 2. Aufl., 1. Band, 1. Teil, München 1892, S. 1, Nr. 1.

25.

Stuttgart LB, Cod. hist. fol. 175

ANNALES || de || VETUSTATE ORIGINIS, AMOENITATE SITUS, || splendore Ædificiorum, ac Rebus gestis civium Rei-||pub-licæ Augstburgensis, multo sane labore, summa || etiam fide perdiu collecti, et iuxta seriem annorum || nativitatis Jesu Christi, ad Roma-norum Impera-||torum, Francorumq3 Regum tempora, nec non || tàm

ad politici, quàm Ecclesiastici ibidem ‖ Magistratus fastos, accuratissimo or-‖dine digesti, per ‖ A.P.G.L.‖

Ende 16. Jahrhundert, Papier, 33×20 cm, XVIII u. 676 S. Auf
S. II Kupferstichporträt Gassers. Auf S. V Kopie des Briefes
von Gasser an Johann Baptist Haintzel, Augsburg am 20. März
1571. Auf S. VI Kopie des Briefes von Johann Baptist Haintzel
an Gasser, Augsburg am 22. Januar 1572. Auf S. VII–XVII
Listen der römischen Kaiser, der Augsburger Bischöfe, der Äbte
von St. Ulrich etc.

26.

Wolfenbüttel HAB, Guelf. 37. 29 Aug. 2°

ANNALES ‖ De vetustate originis, amœnitate situs, splen-‖dore
ædificiorum, ac rebus gestis ciuium Rei-‖publicæq3 Augstburgensis,
multo sanè labo-‖re, summa etiam fide perdiu collecti, & ‖ iuxta
seriem annorum natiuitatis Je-‖su Christj ad Romanorum Impe-‖ra-
torum, Francorumq3 Regum ‖ tempora, nec non tàm ad ‖ Politicj
quàm Ecclesia-‖sticj ibidem Magi-‖stratus fastos ‖ accuratis-‖simo ‖
or-‖dine ‖ digestj ‖ per A.P.G. ‖ L. ‖

2. Hälfte des 16. Jahrhunderts, Papier, 31,5×20,5 cm, 473 Bl.
(darunter zahlreiche leer). Von einer Hand geschrieben; auf dem
Titelblatt von späterer Hand des 17. Jahrhunderts zu A.P.G. hinzu-
gesetzt »Achilles Pyrminius Gassarus«.
Vorbesitzer: Im vorderen Innendeckel Besitzerwappen mit der
Jahreszahl 1651 eingeklebt.

b) Auszüge aus den Annales Augustani

27.

München SB, Cml. 2100

['Επιγραφὴ civitatis Augstpurgensis una cum historiae annaliumque
eiusdem succincta epitome per A.P.G.L. congesta 1550.]

Mitte des 16. Jahrhunderts, Papier, Quart, 36 Bl.

Catalogus Codicum Latinorum Bibliothecae Regiae Monacensis, 2. Aufl., 1. Band, 1. Teil, München 1892, S. 311, Nr. 2100.

28.

München SB, Cml. 1731

[Achillis Pirminii Gasseri Annalium »civitatis Augstburgensis« particula]

2. Hälfte des 16. Jahrhunderts, Papier, Folio, 4 Bl. Der vorliegende Auszug scheint von Gassers eigener Hand zu sein.

Catalogus Codicum Latinorum Bibliothecae Regiae Monacensis, 2. Aufl., 1. Band, 1. Teil, München 1892, S. 289, Nr. 1731.

c) Register zu den Annales Augustani

29.

Augsburg SStB, 4° Cod. Aug. 27

INDEX ‖ CHRONOLOGICVS ‖ IN ‖ ANNALES AVGSTBUR-‖ GENSES ACHILLIS PIRMINII GASSERI ‖

Ende 16. Jahrhundert, Papier, $20,5 \times 15$ cm, 116 Bl. Sign.: A⁴–Z⁴, Aa⁴–Dd⁴.

30.

Augsburg SStB, 2° Cod. Aug. 38

(R)egister ‖ über ‖ Achillis Pyrminy Gassari ‖ Anales Augustanos. ‖ [Zierstück] ‖

17. Jahrhundert, Papier, $33 \times 20,5$ cm, 152 Bl. Vorbesitzer: D. v. S.

31.

Augsburg SStB, 2° Cod. Aug. 48ª

Register ‖ über ‖ Achilles Pyrminij Gassari ‖ Annales Augustanos. ‖

18. Jahrhundert, Papier, $33,5 \times 21$ cm, 79 Bl. (die beiden letzten Bl. leer).

32.

Augsburg SStB, 2° Cod. Aug. 46ᵃ

Supplementa und Additamenta || des anderen theils der || Augstb. Chronick. ||

17. Jahrhundert, Papier, 33 × 21 cm, 213 gez. S., 7 S. (leer).

33.

Augsburg SStB, 4° Cod. Aug. 26

Extract || der || in des A. P. Gassari || Annalibus Augusta-||nis befindlichen merckwürdigsten Sachen. || Samt einem Indice Alphabetico. ||

18. Jahrhundert, Papier, 20 × 16 cm, 48 Bl.

34.

Augsburg SStB, 2° Cod. Aug. 50

Brucker, Jakob: INDEX || CHRONOLOGICUS. || in || ANNALES AUGSTBURGENSES || Medici celeberrimi || ACHILLIS PIRMINII || GASSERI, || Summan rerum in hac urbe gestarum || ab U.C. ad A.C. M. D. CCLXXVI. || exhibens || ad meliorem commentariorum horum || usum et compendium || concinnatus || à || JACOBO BRUCKERO. ||

18. Jahrhundert, Papier, 32 × 20,5 cm, 88 Bl.

d) Fortsetzung der Annales Augustani

35.

Augsburg SStB, 2° Cod. Aug. 36/37

Stetten, Paul von: CONTINUATIO || ANNALIUM AUGSTBURGENSIUM || Achillis Pirminii Gasseri Lindav: Med: Doct: || ab año post C. N. 1576. quo ejusdem Añales finiunt, || usque ad annum 1600. || Pars Iᵐᵃ || autore || Paulo de Stetten P.[atricio] A.(ugustano] ||

17. Jahrhundert, Papier, 33 × 20,5 cm. Zwei Bände: I = 686 gez. S.; II = 251 gez. S. Vorbesitzer: D. v. S.

4. PHILOLOGISCHE SCHRIFTEN

a) Griechische Klassiker

36.

Karlsruhe LB, Hs. Karlsruhe 1632

Es handelt sich um ein Konvolut verschiedener Drucke mit handschriftlichen Einträgen nach Vorlesungen von Philipp Melanchthon.

> 1522–1524, Papier, 100 Bl. Im einzelnen enthält das Buch: De-
> mosthenes, Olynthische Reden; Demosthenes Epistolae duae;
> Lukian, Judicium vocalium; Lukian, Oratio adversus calumniam;
> Plutarch, Sermo convivalis primus; Platon, Axichus, Epistola ad
> Archytam, Aristoteles, Briefe, Julianus an Maximus, Lex de medi-
> cis; aus Lukian, Hercules gallicus; aus Thukydides, Oratio contra
> leges; mehrere dieser Texte wurden von Melanchthon übersetzt.

> K. Preisendanz, Die Handschriften der Badischen Landesbiblio-
> thek, 8. Band, Die Karlsruher Handschriften, 2. Band, Karlsruhe
> 1926, S. 35f.

b) Otfrid

37.

Wien, Schottenkloster, 733

Liber Euangeliorum Christi rithmis in theodiscam linguam uersus.
Finff buecher des heiligen Euangelii / von vnsern herren vnd heilandt
Christo / uß den fier Euangelisten / mit altfrenkischen Tytschen
rimen / vor siben hundert iaren / durch minch Ottfriden von Wyssen-

burch zu Sant Gallen beschriben. Transsumptus a me A(chille) P(irminiano) G(assaro) L(indaviensi) hieme anni salutis 1560 Augsburgi, in summa Asmodei vexatione. C. B. I.

1560, Papier, 30 × 22 cm, 181 Bl. (davon 6 leer).

Albert Hübl, Catalogus Codicum manu scriptorum, qui in Bibliotheca Monasterii B. M. V. ad Scotos Vindobonae servantur, Wien-Leipzig 1899, S. 487, Nr. 605.

II. GEDRUCKTE WERKE

1. MEDIZINISCHE SCHRIFTEN

a) *Pestbücher*

1. Nürnberg: Johannes Petrejus 1544

Ainfeltiger vñ gegrůn=‖ter bericht / wie menigklich sich in Pesti-len=‖tzischem vbergang / mit artznyen / vnd anderer lybs‖not / halten / bewaren / vnd genôren soll / durch ‖ Achillem P. Gassarum L. na-türlicher ‖ künsten vnd baider artznyen Do=‖ctorn zu Veldkirch ‖ gemacht. ‖ [Druckermarke]

(Am Ende:) Zu Nürmberg truckts Johan Petreius ‖ Anno 1544. ‖

8° (18,5 × 14 cm) 10 Bl. Sign.: a⁴, b⁴, c². Auf der letzten S. ana-tomischer Holzschnitt (Aderlaßmann von Erhard Schön). Wid-mungsbrief an Ulrich von Schellenberg, Feldkirch am 1. Januar 1543 (richtiger wohl 1544).

Brucker, S. 1015, Nr. 1 (fälschlich 1554). Veith, S. 117, Nr. 1. Katalog »Wertvolle alte Drucke« der Firma R. Wölfle, München 1967, S. 82, Nr. 278. – Augsburg SStB (2 Ex.). Bregenz Privat-besitz. München UB.

2. [Augsburg:] 1564

(V)nterricht / Wider ‖ die Pestilentz / So jetzt an allen ‖ Ortern ein-reisset / Gestellet / ‖ Durch ‖ Den Herrn D. Achillem Pirmi=‖neum Gassarum Lindoensem / der ‖ Stadt Augspurg Phi=‖sicum. [Zier-leiste] Anno M. D. LXIIII. ‖

(Am Ende:) Achilles Pirmineus Gassarus Lindo=‖ensis. Medicinæ Doctor zu ‖ Augspurg. ‖ [Zierleiste]

4° (20 × 14 cm) 4 Bl., Sign.: A⁴.

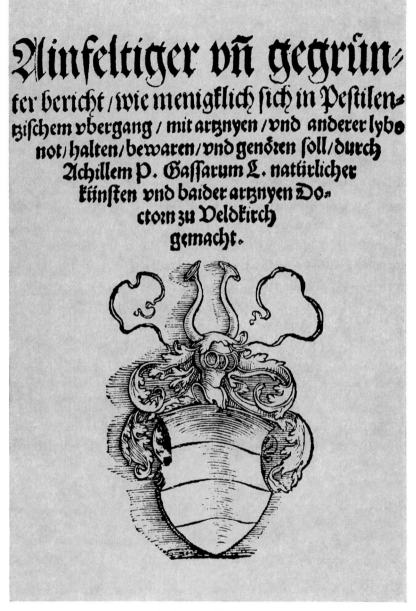

Ainfeltiger vñ gegrün=
ter bericht / wie menigklich sich in Pestilen=
zischem vbergang / mit artznyen / vnd anderer lybo
not / halten / bewaren / vnd genören soll / durch
Achillem P. Gassarum L. natürlicher
künsten vnd baider artznyen Do=
ctorn zu Veldkirch
gemacht.

Gedruckte Werke 1

Dresden LB. Hannover StB. Kopenhagen UB. London BM. Weimar LB.

3.   [Augsburg:] 1565

Vnterricht / Wieder die || Pestilentz / So jtzt an allen ör=||tern ein-reisset / Gestellet || Durch || Denn Herrn D. Achillem Pirmine=||um Gassarum Lindoensem / der Stad Augs=||burg Phisicum. || [Zier-leiste] M. D. LXV. ||

(Am Ende:) Achilles Pirmineus Gassarus Lin=||doensis. Medicinae Doctor zu || Augspurg. ||

4° (19 × 14 cm) 4 Bl. Sig.: A⁴.

Leipzig UB. Oslo UB. Wolfenbüttel HAB.

4.   [Augsburg:] ?

[Underricht wider die Pestilentz]

(Am Ende:) Achilles Pirmineus Gassarus || Lindoensis. Medicinae Doctor || zu Augspurg. || FINIS. ||

4° (20 × 14 cm) 4 Bl. Sign.: A⁴.

Budapest NB.

Den Hinweis auf diese eindeutig im Kolophon von den Nrr. 2 und 3 abweichende Ausgabe verdanke ich Frau Dr. Elisabeth Soltész, Leiterin der Abteilung der alten Bücher der Nationalbibliothek in Budapest. Leider fehlt dieesm Exem-plar das Titelblatt.

5.   [Augsburg:] 1585

[Kurtzer und Generalbericht wider die Pestilentz]

Fleischmann, S. 272.

Diese Ausgabe, die Fleischmann irrtümlich als die zweite bezeichnet, ist ohne den Namen des Verfassers erschienen. Infolgedessen sind bei der Erhebung der Gasser-drucke keine Exemplarnachweise dieser Ausgabe gelungen.

b) Sonstige medizinische Schriften

6.   Köln: Maternus Cholinus 1581

Dodoens, Rembert: REMBERTI || DODONAEI MEDICI || CAE-SAREI, || MEDICINALIVM || Obseruationum exempla rara, re-||cognita & aucta. || ACCESSERE ET ALIA || quædam, quorum Elen-chum pagina || post Præfationem exhibet. || [Druckermarke] || COLO-NIÆ || Apud Maternum Cholinum. || M. D. LXXXI. || Cum Gratia & Priuilegio Cæs. Maiest. ||

8° (15,5 × 9,5 cm) 16 Bl., 367 gez. S. Sign.: A^8, A^8-Z^8, Aa^8-Cc^8. Auf der Titelrückseite Druckprivileg, ausgestellt in Prag am 11. August 1580, unterzeichnet von Kaiser Rudolf II., S. Vie-heuser und A. Erstenberger. Widmungsbrief von Dodoens an den Erzbischof Daniel von Mainz, Köln 1581. Das Buch enthält neben anderen Beiträgen von Antonio Beniveni, Valesco de Taranta, Alessandro Benedetti, Matthias Cornax und Gilles de Herthoge Gassers »Historia altera de gestatione foetus mortui«.

Brucker, S. 1016, Nr. 8. Veith, S. 118, Nr. 10. Durling, S. 148, Nr. 1179. – Augsburg SStB (Vorbesitzer: Bibliotheca S. Georgii Augustae). Bethesda (Md.) NLM. Bologna UB. Cambridge UB. Padua UB. Parma Bibl. Pal. (Kriegsverlust).

Das Buch erlebte verschiedene Auflagen, die jeweils den Beitrag Gassers enthal-ten, zum Beispiel Leiden, Christoph Plantin, 1585 (Exemplare: Bethesda (Md.) NLM. Padua UB) und Harderwijk 1621 (Exemplare: Bethesda [Md.] NLM. Kiel UB. Padua UB. Zürich ZB).

7. St. Gallen: Leonhard Straub 1584

APHORI-||SMORVM HIP=||pocratis Methodus noua, ab || ACHILLE P. GASSARO Lin-||dauiensi Medico primùm quinque || libris distinc-ta: deinde verò CON-||RADI GESNERI Tigu-||rini Medici opera || illustrata. || HVIC ACCEDVNT PRAETEREA || libelli de re medica aliquot prius non editi, || . . . || OMNIA NVNC PRIMVM || opera & studio CASPARI VVOL-||PHII Tigurini Medici in lu-||cem data. || SANGALLI, || Excudebat Leonhardus Straub, || ANNO DOMINI || M. D. LXXXIIII. ||

8° (16 × 10 cm) 8 Bl., 248 gez. S., 1 Tafel. Widmungsbrief von Kaspar Wolf an Johann Guler, »decem Iurisdictionum Rhetiae Archicancellarium«, Zürich am 29. Februar 1584.

Brucker, S. 1016, Nr. 2. Veith, S. 117, Nr. 2. Durling, Nr. 2388. –
Aarau KB (Vorbesitzer: Kloster Muri OSB). Bethesda (Md.)
NLM (unvollständig). Neapel NB. Trient StB. Zürich ZB (mit
eigenhändiger Widmung von Kaspar Wolf an Johannes Koler
1584).

8. Ulm/Augsburg: Christian Balthasar Kuhn für Gottlieb Goebel
1667/68

Welsch, Georg Hieronymus: [Titelkupfer von J. H. Schönfeld und
P. Kilian] GEORGII HIERONYMI VELSCHII ‖ SYLLOGE ‖
CURATIONUM ET OBSERVATIONUM ‖ MEDICINALIUM ‖
Centurias VI. complectens, c. notis ejusdem ‖ et Epitagmatum Cen-
turiam I. ‖ Impensis Gottlieb Goebelij ‖ Typis Christiani Balthasaris
Kuhnij ‖ Typographi Reipubl. Ulmensis. ‖

8° (19,5 × 15 cm) 266 Bl. (teils mehrfache Paginierung, teils un-
paginiert), Sign.: a⁴, A⁴–N⁴, Aa⁴–Gg⁴, Hh², Aaa⁴–Ggg⁴, Aaaa⁴ bis
Kkkk⁴, Aaa aa⁴–Qqq qq⁴, Aaa aaa⁴–Nnn nnn⁴. Das Buch enthält
Beiträge von Marcellus Cumann, Jeremias Martius, Achilles Gasser,
Johann Ulrich Rumler, Hieronymus Reusner und Georg Hierony-
mus Welsch. Der Beitrag Gassers umfaßt 46 gez. S. und 5 Bl. (Index)
auf Bl. Aaa ff.; er wird mit folgendem Zwischentitel eingeleitet:
ACHILLIS GASSERI ‖ LINDAVIENSIS. ‖ MEDICI AUGUSTA-
NI. ‖ CURATIONES ‖ MEDICÆ. ‖ ê Bibliotheca ‖ GEORGII
HIERONYMI VELSCHII, ‖ cum ejusdem notis. ‖

Brucker, S. 1016, Nr. 5. Veith, S. 118, Nr. 5. – Aberdeen UB.
Augsburg SStB (Widmungsexemplar von Georg Hieronymus
Welsch). Cambridge UB. Edinburgh UB. Erlangen UB. Frankfurt
UB. Göttingen SUB. Kiel UB. Kopenhagen UB. Kremsmünster
StiB. London BM. Mainz UB. Mailand NB. Marburg UB. Neapel
NB. Rom UB. Saint Andrews UB. Weimar ZB. Wien NB.

Das Buch erlebte weitere Auflagen und wurde auch ins Französische übersetzt.

2. NATURWISSENSCHAFTLICHE SCHRIFTEN

a) Kometenschriften

9.   [1531]

Von dem Cometen oder Pfawenschwantz so in etlichem hoch-
teutschenland umb den 10. tag der Augsten sich zuerst erzeygt und
darnach vil nächt ob eynes raißspieß lang anderthalb schuch breyt am
hymel gesehen ist worden nach der gepurt Christi 1531 Jar.

Einblattdruck

Zinner 1440a. – Nürnberg StB.

10.   [1532]

Beschrybung vnnd ab=‖nemen über den Cometen / so im̄ Herbst ‖ deß
M. D. XXXII. jar zů morgens allweg er=‖schinen ist / sampt einer
kurtzen erklårung ‖ siner erschrockenlichen bedütnuß / durch ‖
Achillem P. Gasser zů Lindow ‖ an dem Bodensee ‖ ußgangen. ‖ 🜊 ‖
[Holzschnitt mit dem Kometen unter den Tierkreiszeichen]

8° (19 × 14,5 cm) 8 Bl. (letzte S. leer), Sign.: A⁴, B⁴. Widmungsbrief an den Grafen Hugo von Montfort, Lindau am 22. Oktober
1532.

Basel UB. London BM. Zürich ZB.

11.   [1533]

Ain kurtze vnderricht ‖ von dem Cometen vnd harigen ‖ Sternen so
den Sum̄er des M. D. ‖ XXXIII. Jars etlich zeyt zů ‖ morgens / dar-

34

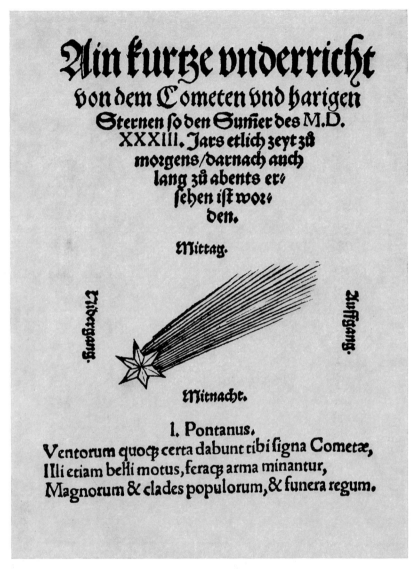

Ain kurtze vnderricht

von dem Cometen vnd harigen
Sternen so den Sumer des M.D.
XXXIII. Jars etlich zeyt zů
morgens/darnach auch
lang zů abents er-
sehen ist wor-
den.

Mittag.

Mitnacht.

1. Pontanus.

Ventorum quoqʒ certa dabunt tibi signa Cometæ,
Illi etiam belli motus, feracʒ arma minantur,
Magnorum & clades populorum, & funera regum.

Gedruckte Werke 11

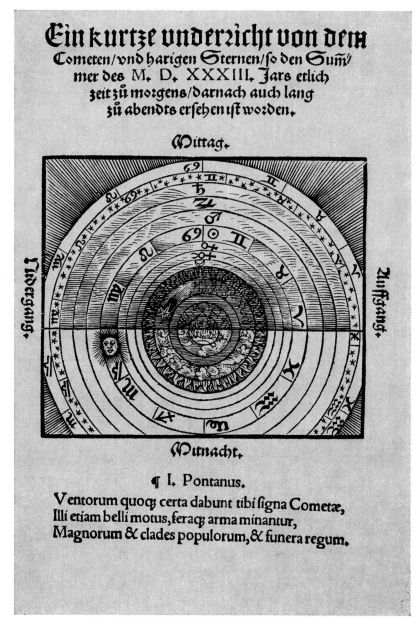

Ein kurtze vnderzicht von dem
Cometen/vnd harigen Sternen/so den Summer des M. D. XXXIII. Jars etlich zeit zů morgens/darnach auch lang zů abendts erfehen ift worden.

I. Pontanus.

Ventorum quoqʒ certa dabunt tibi figna Cometæ,
Illi etiam belli motus,feracʒ arma minantur,
Magnorum & clades populorum,& funera regum.

Gedruckte Werke 12

nach auch ‖ lang zů abents er=‖sehen ist wor=‖den. [Holzschnitt eines Kometen mit Bezeichnungen der Himmelsrichtungen] I. Pontanus. ‖ . . . ‖

8° (19,5 × 14,5 cm) 8 Bl., Sign.: A⁴, B⁴.

Zinner 1527. – Augsburg SStB. Nürnberg GM. Thorn UB.

12.   [1533]

Ein kurzte vnderricht von dem ‖ Cometen / vnd harigen Sternen / so den Sūm=‖mer des M. D. XXXIII. Jars etlich ‖ zeit zů morgens / darnach auch lang ‖ zů abendts ersehen ist worden. ‖ [Holzschnitt einer Himmelssphäre mit dem Kometen] ❡ I. Pontanus. ‖ . . . ‖ (Am Ende:) α ‖ ϑεὸς καὶ ‖ ω ‖ A.P.G.L. ‖

8° (19,5 × 14,5 cm) 8 Bl. Sign.: A⁴, B⁴. Auf der Titelrückseite Holzschnitt einer Himmelssphäre. Auf A²ʳ Brief Gassers an den Leser.

Veith, S. 118, Nr. 14 (»vidi meis oculis«). Zinner 1528. – Basel UB.

13.   [1538]

Von dem Cometen / ‖ So im Jenner des M. D. XXXVIII Jars / ‖ etwas bey ailf nǎchten gesehen ist worden: ‖ Kurtzer bericht Achilles P. Gassari L. ‖ der Artzney Doctor / zu eeren ainem ‖ Erbaren Rat vnnd gan-‖tzer Statt Veldkirch ‖ außganngen. ‖ [Holzschnittfigur eines Kometen, rechts: SEPTEMTRIO., links: MERIDIES.] Manilius. ‖ Sic Deus instantis fati miseratus, in orbem ‖ Signa per effectus, cœliqȝ incendia mittit. ‖ (Am Ende:) Veritas temporis filia. ‖ A ‖ ϑεὸς καὶ ‖ Ω ‖ A.P.G.L. ‖

8° (20 × 15 cm) 8 Bl. (letztes Bl. leer), Sign.: a⁴, b⁴. Der Widmung an den Rat und die Stadt Feldkirch folgt kein eigener Widmungsbrief mehr.

Zinner 1690. – Augsburg SStB. Bregenz Privatbesitz. München UB (Kriegsverlust). Nürnberg GM. Wien NB. Wolfenbüttel HAB.

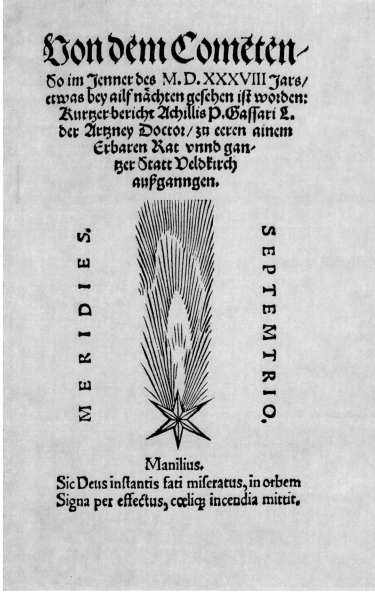

Von dem Cometen/

So im Jenner des M. D. XXXVIII Jars/
etwas bey ailf nächten gesehen ist worden:
Kurtzer bericht Achillis P. Gassari L.
der Artzney Doctor/ zu eeren ainem
Erbaren Rat vnnd gan-
tzer Statt Veldkirch
aufganngen.

MERIDIES.

SEPTEMTRIO.

Manilius.
Sic Deus instantis fati miseratus, in orbem
Signa per effectus, cœliq; incendia mittit.

Gedruckte Werke 13

b) Astrologische Praktiken

14. Nürnberg: Johannes Petrejus [1543]

🔖 PROGNOSTI-‖CVM ASTROLOGICVM, AD ‖ annum Christi, M.D.XLIIII. ‖ Per Achillem P. Gassarum, L. Veld-‖kirchij conscriptum. ‖ Cum gratia & priuilegio Cæsario. ‖ [Druckermarke] Adiecta sunt, ‖ Iudicium D. Lucæ Gaurici Neapolitani ‖ in eundem annum. ‖ Item, ἐκφώνησις in Prognostica anni 1544. ‖ Thomæ G. Venatorij. ‖ (Am Ende:) Impressum Norimbergæ ‖ apud Johan. Petreium. ‖

8° (20×15 cm) 16 Bl. Sign.: A⁴–D⁴. Auf A¹ʳ–A²ᵛ Widmungsbrief Gassers an Thomas Venatorius, Feldkirch am 20. Juli 1543. 4 Holzschnittfiguren (Mond, Sonne).

Brucker, S. 1017, Nr. 12. Veith, S. 118, Nr. 12. Zinner 1850. – Fulda LB. London BM. Nürnberg GM. Paris NB. Zürich ZB.

15. Nürnberg: Johannes Petrejus [1544]

Gemeine anzeigung der ‖ vier Finsternussen / so sich im jar nach der ‖ geburt Christi 1544 begeben / was sie bedeuten / vnd wie lang ‖ jre wirckung sich volstrecken werd / nemlich etliche bis ins ‖ 1545 vnd 1546 jar. Durch D. Achillem P. ‖ Gassarum L. zu Veldkirch beschriben. ‖ [Vier Holzschnittdarstellungen der Finsternisse] Mit Keiserlicher freyheit nit nach zutrucken verbotten. ‖ (Am Ende:) Zu Nůrnberg trucks ‖ Johan Petreius.

8° 4 Bl. Sign.: ⁴.

Paris NB.

16. Nürnberg: Johannes Petrejus [1544]

🔖 PROGNOSTI=‖CVM ASTROLOGICVM, AD ‖ annum Domini. M.D.XLV. Per Achil=‖lem P. Gassarum, L. Velcuriæ ‖ conscriptum. Domini præsentis anni. ‖ Sol. Venus. ‖ [Darunter zwei schön ausgeführte symbolische Holzschnittfiguren der Sonne und Venus] Cum gratia & priuilegio Cæsareo. ‖ Impressum Norimbergæ per Ioan. Petreium. ‖

ꙮ PROGNOSTI-
CVM ASTROLOGICVM, AD
annum Chrifti , M.D.XLIIII.
Per Achillem P. Gaffarum, L. Velde
kirchij confcriptum.

Cum gratia & priuilegio Cæfario.

Adiecta funt,
Iudicium D. Lucæ Gaurici Neapolitani
in eundem annum.

Item, ἐκφώνϗσις in Prognoftica anni 1544.
Thomæ G. Venatorij.

Gemeine anzeigung der

vier Finsternussen / so sich im jar nach der
geburt Christi 1544 begeben / was sie bedeuten / vnd wie lang
jre wirckung sich volstrecken werd / nemlich etliche bis ins
1545 vnd 1546 jar. Durch D. Achillem P.
Gassarum L. zu Veldkirch beschriben.

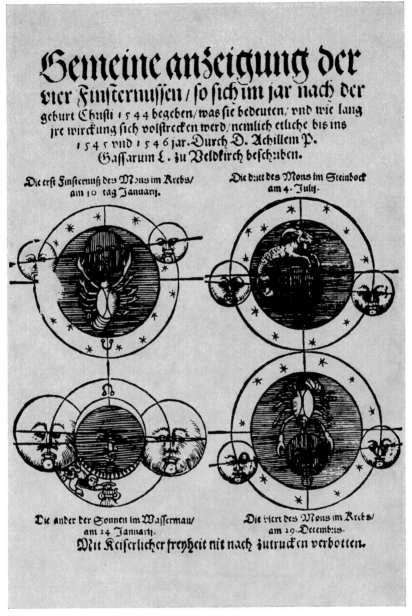

Die erst Finsternuß des Mons im Krebs /
am 10 tag Januarij.

Die dritt des Mons im Steinbock
am 4. Julij.

Die ander der Sonnen im Wasserman /
am 24 Januarij.

Die viert des Mons im Krebs /
am 19. Decembris.

Mit Keiserlicher freyheit nit nach zutrucken verbotten.

Gedruckte Werke 15

(Am Ende:) FINIS. ||

8° (20×15 cm) 12 Bl. Sign.: A⁴–C⁴. Widmungsbrief Gassers an Johannes Schöner, Feldkirch am 23. August 1544. 1 Holzschnittfigur (Sonne).

Zinner 1875. – Krakau UB (mit zahlreichen handschriftlichen Bemerkungen des 16. Jh., Vorbesitzer Wappen (Löwe) mit Monogramm (AH). Wolfenbüttel HAB.

17.   Nürnberg: Johannes Petrejus [1545]

☙ PROGNOSTI=||CVM ASTROLOGICVM, AD || annum Domini, M.D.XLVI. Per Achil=||lem P: Gassarum L: Velcuriæ || exaratum. || Dominus anni Collega ipsius || MARS. LVNA. || [Darunter zwei schön ausgeführte symbolische Holzschnittfiguren des Mars und Mondes] Cum gratia & priuilegio. || Impressum Norimbergæ per Ioan. Petreium. ||

(Am Ende:) α θεὸς καὶ ω.

8° (19,5×14,5 cm) 16 Bl. Sign.: A⁴–D⁴. Auf der Titelrückseite lateinisches Gedicht des Thomas Venatorius. Widmungsbrief Gassers an Georg Joachim Rhetikus, Feldkirch am 27. Juli 1545.

Zinner 1895. Houzeau-Lancaster 14 685. – Danzig StB. Krakau UB. London BM. Paris NB und Institut de France. Stuttgart LB.

18.   London: Richard Grafton 1545

A prognostication for this yere M. D. xlvi, written by the experte docter of Astronomie & Phisicke Achilles P. Gasser . . .
(Am Ende:) Londini, ex officina Richardi Graftoni . . .

Pollard and Redgrave 11 646. – Ann Arbor (Mich.) UB. Chicago (Ill.) UB. Evanston (Ill.) UB. Los Angeles (Calif.) UB. New Haven (Conn.) UB. New York PL und Col. UB. Philadelphia (Pa.) UB. Princeton (N. J.) UB. Bei sämtlichen Exemplarnachweisen handelt es sich um Mikrofilme.

19. Zürich: Eustachin Froschauer [1546]

Practica vff das M. D. || XLVII. jar / durch Doctor Achilles || P. Gasser L. zů Augspurg gemacht. || [Zwei schön ausgeführte symbolische Holzschnittfiguren mit Überschriften, links: Juppiter herr || diß Jars., rechts: Saturnus mit=||helfer] Zů Zürych by Eustachin Forschouer. || (Am Ende:) α || θεòς καì || ω. || .

8° (18,5 × 13,5 cm) 12 Bl. Sign.: A⁴–C⁴. Widmungsbrief Gassers an den Bürgermeister und Rat der Stadt Augsburg am 13. Juli 1546. 3 Holzschnittfiguren (Monde, Sonne).

Zinner 1912. – Augsburg SStB. Bergamo StB. Wolfenbüttel HAB.

c) Astronomische Schriften

20. [Zürich: ?]

Sciaterion pedarium (tabula mathematica »Sciaterion pedarium« inscripta).

Brucker, S. 1017, Nr. 2 (unter Berufung auf Melchior Adam). Veith, S. 118, Nr. 13 (unter Berufung auf Gessner-Simler, Bibliotheca universalis). Zinner, Instrumente, S. 78.

Ein Exemplar konnte nicht nachgewiesen werden, nachdem bereits im 18. Jahrhundert weder Brucker noch Veith einen Nachweis erbringen konnten. Gleichwohl spricht der Beleg bei Gessner-Simler für die Existenz dieser Werke, zumal Gasser mit beiden Autoren in Briefwechsel stand.

21. Straßburg: Crato Mylius 1539

Cellarius, Martin: ΜΑΘΗΜΑΤΩΝ ΣΤΟΙΧΕΙΑ. || HOC EST. || ELEMEN||TALE COSMOGRAPHICVM, || quo totius et Astronomiæ et Geographiæ || rudimenta, certißimis breuißimisq₃ || docentur apodixi=||bus. || [Druckermarke] Cum gratia et Priuil. || M. D. XXXIX. (Am Ende:) ARGENTORATI APVD || CRATONEM MYLIVM || MENSE SEPT. || ANNO || M D. XXXIX. || ℣ ||

8° (16 × 10 cm) 74 gez. S., 2 Bl. (davon 3 leere S.), Sign.: A⁸–E⁸. Widmungsbrief Gassers an Peter Rot in Straßburg, Feldkirch im

ΜΑΘΗΜΑΤΩΝ ΣΤΟΙΧΕΙΑ.
HOC EST.
ELEMEN
TALE COSMOGRAPHICVM,

quo totius & Astronomiæ & Geographiæ
rudimenta, certißimis breuißimisq́;
docentur apodixi-
bus.

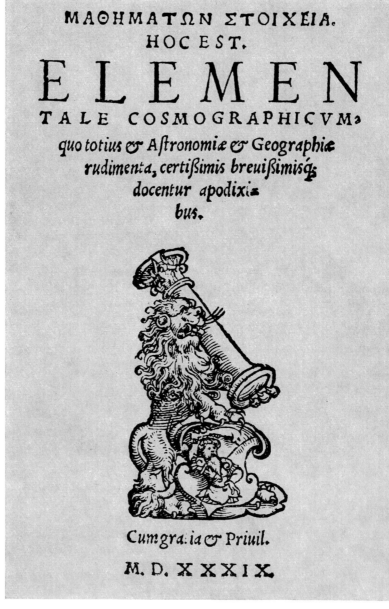

Cum gratia & Priuil.

M. D. XXXIX.

Gedruckte Werke 21

Mai 1539. Brief des Martin Cellarius an Crato Mylius, o. O. am 22. Juli o. J.

Veith, S. 119, Nr. 15. Zinner 1708, Ritter 1324. – Bregenz Privatbesitz. Breslau Ossolineum. Ithaca (N. Y.) Cornell UB. London Wellcome HML. New York PL.

22.   Paris: Guillaume Cavellat 1550

Cellarius, Martin: COSMOGRA-||PHIAE INTRODVCTIO: || cum quibusdam Geometriæ ac || Astronomiæ principiis ad || eam rem necessariis. || [Holzschnittfigur eines Erdglobus (Europa, Afrika, Asien)] PARISIIS || Apud Gulielmum Cauellat, in pingui gallina, ex || aduerso collegij Cameracensis. || 1550 ||

Sonderdruck der folgenden Nr. 23 (vgl. Zwischentitel), der offenbar vor dem Hauptwerk verbreitet wurde.

Trier StB.

23.   Paris: Guillaume Cavellat 1551

Cellarius, Martin: ELEMEN-||TALE COSMOGRA-||phicum, quo totius & Astronomiæ & || Geographiæ rudimenta, . . . || [Druckermarke] PARISIIS, || Apud Gulielmum Cauellat, in pingui Gallina, || ex aduerso collegij Cameracensis. || 1551. || Cum priuilegio Regis. ||

[Zwischentitel:] COSMOGRA-||PHIAE INTRODVCTIO: || cum quisbusdam Geometriæ ac || Astronomiæ principiis ad || eam rem necessariis. || [Holzschnittfigur eines Erdglobus (Europa, Afrika, Asien)] PARISIIS || Apud Gulielmum Cauellat, in pingui gallina, ex || aduerso collegij Cameracensis. || 1551 ||

$8°$ (16,2 × 10,2 cm) 35 gez. Bl., 46 gez. Bl., 1 Bl. Sign.: A^8–D^8, E^3, A^8–E^8, F^7. Auf Bl. 1^v Priuilege du Roy auf 5 Jahre vom 8. November 1550 an, unterzeichnet le Picart. Auf Bl. 2 Brief an den Leser von Cavellat, Paris im November 1550. Auf Bl. 3^r–Bl. 4^v Widmungsbrief Gassers an Peter Rot, Feldkirch im Mai 1539. Zahlreiche geometrische Holzschnittfiguren im Text. Auf Bl. 33^v und Bl. 34^v des 2. Teils kleine Karte von Griechenland.

Augsburg SStB. London BM. Los Angeles (Calif.) UB (Mikrofilm). Lucca BGov. Münster UB. Paris NB. Princeton (N. J.) UB (Mikrofilm). Rom NB und Vat. Wien NB.

24.   Basel: Robert Winter 1541

Rhetikus, Georg Joachim: DE LIBRIS REVO-‖LVTIONVM ERVDITISSI-‖MI VIRI, ET MATHEMATICI ‖ excellentiss. reuerendi D. Doctoris ‖ Nicolai Copernici Torunæi Cano‖nici Vuarmaciensis, Narratio Prima ‖ ad clariss. Virum D. Ioan. Schone-‖rum, per M. Georgium Ioachi-‖mum Rheticum, unà cum ‖ Encomio Borussiæ ‖ scripta. ‖ ALCINOVS. ‖ δεῖ δὲ ἐλευθέριον εἶναι τῇ γνωμῇ τὸν μέλλοντα φιλοσοφεῖν ‖ GEORGIVS VOGELINVS ME-‖dicus Lectori. ‖ . . . ‖ BASILEAE. ‖

(Am Ende:) APVD ROBERTVM ‖ WINTER, BASILEAE, ‖ Anno 1541. ‖

8° 115 gez. S., 1 S., 6 Bl. (letzte S. Druckermarke), Sign.: a^8–h^8. Widmungsbrief des Herausgebers Gasser an Georg Vögelin in Konstanz, Feldkirch 1540.

Zinner 1785. Burmeister, Rhetikus II, 9 (mit Abbildung des Titelblattes S. 59). – Basel UB (2 Ex.). Bordeaux StB. Darmstadt LHB. Erlangen UB. Florenz NB. Kórnik Bibl. PAN. Krakau Bibl. Czart. u. UB. Leipzig UB. London BM. Lund UB. Mainz StB. München UB (Kriegsverlust). New Haven (Conn.) UB. Paris NB u. BSG. Princeton (N. J.) UB. Rom Vat. Uppsala UB. Utrecht UB Zürich ZB (Vorbesitzer: Christopherus Piperinus Helvetius. 4. Jan. 1546).

Bei dieser Editionsarbeit Gassers handelt es sich um die zweite Auflage der »Narratio prima« des Rhetikus, deren spätere Ausgaben alle wiederum auf dieser zweiten Gasserschen Ausgabe beruhen (vgl. Burmeister, Rhetikus II, 10ff.).

d) Magnetismus

25.   Augsburg: 1558

[Zierleiste mit zehn verschiedenen Wappen] PETRI PEREGRINI ||
MARICVRTENSIS || De Magnete, seu Rota perpe-||tui motus,
libellus. || Diui FERDINANDI Rho||manorum Imperatoris auspi-||cio,
per Achillem P: Gasserum || L: nunc primum pro-||mulgatus. ||
AVGSBURGI IN || SVEVIS. || Anno Salutis || 1558. ||

8° (20×15,5 cm) 28 Bl. (letzte S. leer). Sign.: ⁴, A⁴–F⁴. Widmungsbrief Gassers an Kaiser Ferdinand I., Augsburg am 25. Dezember
1558. Auf Bl. E³ᵛ–Bl. F¹ᵛ Brief Gassers an den Leser mit Literatur-
verzeichnis. Auf Bl. F¹ᵛ lateinisches Gedicht (8 Zeilen) Gassers auf
Cardano. Auf Bl. F²ʳ ff. Abdruck des 47. Kapitels aus dem 9. Buch
von Cardanos »De rerum Varietate«. 4 Holzschnittfiguren.

Veith, S. 120, Nr. 16. Stevenson 612. Balmer, S. 252, bezeugt, daß
dieses Buch bereits früher selten war und schon von Kepler ver-
gebens gesucht wurde. 13 Nachweise bringt Baldassarre Boncom-
pagni, Bolletino di Bibliografia e di Storia delle Scienze Mate-
matiche e Fisiche, 1871. 16 Nachweise, davon 7 in Deutschland,
findet man bei Gustav Hellmann, Terrestrial Magnetism 7, 1902. —
Göttingen SUB. London BM. Los Angeles (Calif.) UB (Xero-
kopie). New Haven (Conn.) UB (Reproduktion). New York PL
(Photostat). Paris NB. Princeton (N. J.) UB. Rom Vat. Wolfenbüttel HAB.

e) Botanik

26.   Straßburg: Josias Rihelius 1565

Dioskorides: Εὐπόριστα || Ped. Dioscoridis || ANAZARBEI AD
ANDROMACHVM, || Hoc est || DE CVRATIONIBVS || MOR-
BORVM PER MEDICAMENTA PA-||ratu facilia, libri II. Nunc
primùm & Græcè editi, & partim || à IOANNE MOIBANO Medico
Augustano, partim || uerò post huius mortem à CONRADO GESNE-

RO in || linguam Latinam conuersi: adiectis ab utroque interprete || Symphonijs Galeni aliorumque Græcorum Medicorum. || CVM Gratia & priuilegio Cæsareo ad annos octo. || [Druckermarke] CVM INDICE. || ARGENTORATI excudebat Iosias Rihelius. || ANNO M. D. LXV. ||

8° (17,5×10,5 cm) 32 Bl., 903 gez. S., 1 S., 11 Bl. Sign.: a^8–d^8, A^8–Z^8, Aa^8-Zz^8, AA^8–MM^8.

Auf Bl. a^{1v} Epigramm Gassers. Bl. a^{2r} Widmungsbrief von Konrad Gessner an Bürgermeister und Rat von Augsburg, Zürich am 20. Juni 1564. Bl. a^{6v} Brief Gassers an Konrad Gessner [Augsburg] im Juli 1562. Bl. b^{1r} Brief von Hans Crato von Kraftheim an Gessner, Zürich am 22. November 1562. Bl. b^{8r} Brief Gessners an Crato, 10. Juli 1564.

Augsburg SStB. Zürich ZB.

3. HISTORISCHE SCHRIFTEN

a) Historiarum Epitome

27.   Basel: Heinrich Petri 1532

HISTORI‖ARVM ET CHRONI-‖CORVM MVNDI E-‖PITOME
VELVT ‖ INDEX. ‖ BASILEAE EXCVDE=‖BAT HENRICVS ‖
PETRVS. ‖
(Am Ende:) BASILEAE EXCVDEBAT ‖ HENRICVS PETRVS ‖
MENSE AVGVSTO ‖ ANNO M.D.XXXII. ‖

   8° (15,5 × 9,5 cm) 1 Bl., 122 gez. S., 3 Bl. (letzte S. Druckermarke),
   Sign.: A⁸–H⁸. Widmungsbrief an Leonhard Baier, Lindau im Juni
   1532.

   Brucker, S. 1018, Nr. 3. Veith, S. 123, Nr. 23. — Augsburg SStB.
   Basel UB. Dresden LB. Freiburg i. Br. UB. Göttingen SUB.
   Jena UB. Leipzig UB. Neapel UB. New York PL. Prag SUB
   Stuttgart LB. Trier StB (mit Preisvermerk der Zeit: 8 d.). Wien
   NB. Zürich ZB (Vorbesitzer: Johann Rudolf Stumpf, Zürich 1553).

28.   Antwerpen: Johannes Grapheus für Michael Hillen van
                                                    Hoochstraten 1533

Histori‖arvm et chro=‖nicorum mundi Epitome ve‖lut Index, vsque
ad ‖ Annum ‖ 1533. ‖ Accessit brevis ca=‖talogus omnium cum Im-
perato‖rum tum Pontificum Rom. ‖ vsque ad Carolum. V. ‖ & Cle-
mentem ‖ VII. ‖ Vaenevnt Antver‖piae in Rapo per Michaelem ‖
Hillenium. ‖ Anno. M. D. XXXIII. Men‖se Iunio, typis Ioannis
Graphaei. ‖

8° 56 Bl. Sign.: A⁸–G⁸. Widmungsbrief an Leonhard Baier, Lindau im Juni 1532.

Nijhoff-Kronenberg 952. – Brüssel KB. 's-Gravenhage KB. Paris BSG.

29.   Antwerpen: Johannes Grapheus für Johannes Steels 1533 Histori‖arvm et chro=‖nicorum mundi Epitome ve‖lut Index, vsque ad‖ Annum ‖ 1533. ‖ Accessit . . . ‖ Vaenevnt Antver‖piae in aedibus Delphorum à Ioanne ‖ Steelsmano. ‖ Anno . . . ‖

8° 56 Bl. Sign.: A⁸–G⁸. Widmungsbrief an Leonhard Baier, Lindau im Juni 1532.

Nijhoff-Kronenberg 953. – Gent UB. Paris NB.

30.   Antwerpen: Michael Hillen van Hoochstraten 1533 Historia‖rvm et chro=‖nicorum mundi Epitome ve=‖lut Index, vsque ad ‖ Annum ‖ 1534. ‖ Accessit . . . ‖ Vaenevnt Antverpiae ‖ in Rapo per Michaelem ‖ Hillenium. ‖ Anno M. D. XXXIII. ‖ Mense Octobri. ‖

8° 60 Bl. Sign.: A⁸–H⁸. Widmungsbrief an Leonhard Baier, Lindau im Juni 1532.

Nijhoff-Kronenberg 954. – Utrecht UB.

31.   1533

HISTORI‖ARVM ET CHRONI=‖CORVM MVNDI EPI=‖TOME VELVT ‖ INDEX. ‖ An. M. D. XXXIII. ‖

8° (15×9,5 cm) 111 gez. S., 1 S. (leer), Sign.: a⁸–g⁸. Widmungsbrief an Leonhard Baier, Lindau im Juni 1532.

Aarau KB. Freiburg i. Br. UB. Madrid NB. Paris NB, Arsenal (2 Ex.) u. Mazarine (2 Ex.). Rennes StB (Ex. mit handschriftlichen Ergänzungen bis 1538).

Verschiedene Indizien und die Verbreitung des Buches in Frankreich und Spanien deuten darauf hin, daß es sich auch bei dieser Ausgabe um einen Antwerpener Druck handelt (vgl. Nr. 28–30, 34).

32. Venedig: Johannes Antonius und Gebrüder de Sabio für
Melchior Sessa 1533

❦ HISTORIA ❧ || RVM ET CHRONICORVM MVNDI || Epi-
tomes Libellus, Velut Index Accuratius recens reco=||gnitus, Ema-
culatus, auctus & Locupletatus. || Ad maiorem insuper commodita-
tem ac=||cessit & Alphabeticus index. || [Druckermarke mit Jahreszahl
MDXXXIII] Cum gratia & priuilegio, ut ex decreto || Veneti Senatus
apparet. ||

(Am Ende:) Venetijs per Io. Antonium & fratres de Sa||bio Sumptu et
requisitione. D. Melchio||ris Sessæ. Anno Domini || MDXXXIII. ||

8° (14,5 × 9 cm) 16 Bl., 60 gez. Bl. (letzte S. Druckermarke),
Sign.: AA⁸, A⁸, B⁸–H⁸, I⁴. Widmungsbrief an Leonhard Baier,
Lindau im Juni 1532. Auf Bl. AA¹ᵛ Privileg des Dogen Andrea
Gritti auf 10 Jahre, Venedig am 27. September 1533.

Augsburg SStB. Bamberg SB Bloomington (Ind.) UB. Florenz UB.
London BM (3 Ex.). Lucca BGov. Moskau Lenin Bibl. New Haven
(Conn.) UB. New York PL (2 Ex.). Padua B. del Seminario u. UB.
Urbana (Ill.) UB (Vorbesitzer: Joannes Carolus Bavacchus). Wien
NB.

Nr. 33   Basel: Heinrich Petri 1535

HISTORI-||ARVM ET CHRONICORVM || TOTIVS MUNDI
EPITOME, || Nunc demū accuratius recognita absoluta ʒ || ac
præter infinita loca, alphabetico insu||per indice locupletata. || BASI-
LEAE EXCVDEBAT || HENRICVS PETRVS. ||

(Am Ende:) BASILEAE EXCVDEBAT || HENRICVS PETRVS ||
mense Martio. Anno || M. D. XXXV. ||

8° (15,5 × 9,5 cm) 169 gez. S., 1 S., 27 Bl. (Index). Auf S. 2 Epi-
gramm von Leonhard Baier. S. 3–5 Widmungsbrief Gassers an
Leonhard Baier, Lindau am 1. Oktober 1533. S. 5 Epigramm von
Kaspar Heldelin. S. [171] vier Verse von Horaz.

Brucker S. 1018, Nr. 3. Veith, S. 123, Nr. 23. – Augsburg SStB.
Bloomington (Ind.) UB. Breslau UB. Chicago (Ill.) Newberry
Libr. Dresden LB. Göttingen SUB. Hartford (Conn.) Watkinson
Libr. Mailand B. Trivulziana. Melk StiB. München SB (2 Ex.,
Kriegsverlust). New Haven (Conn.) UB. New York PL. Posen
Bibl. PAN. Princeton (N. J.) UB. Stuttgart LB. Utrecht UB.
Venedig UB. Washington (D.C.) LC. Winterthur StB. Würzburg
UB.

34.   Antwerpen: Johannes Grapheus für Johannes Steels 1536

Histori=||arvm et chroni=||corum totius mundi Epitome, || per Achillem
P. Gassarum ex || optimis quibusq₃ Historiogra=||phis nunc primum
congesta. || Vsq₃ ad annum. M.D.XXXVI. || Accessit Genealogia D.
Caroli. V. Ro=||manorum Caesaris semper augusti. || . . . || Antuerpiae
in aedibus Ioan. || Steelsii An. M. D. xxxvi.
(Am Ende:) Typis Ioan. Graphei. 1536. ||

8° 120 gez. Bl. Sign.: A⁸–P⁸. Widmungsbrief an Leonhard Baier,
Lindau, am 1. Oktober 1534.

Nijhoff-Kronenberg 955. – Amsterdam UB. Bordeaux StB. Brüssel
KB. Budapest NB. Gent UB. 's-Gravenhage KB. Leiden UB.
Mainz UB. Nancy BPubl. Paris NB u. BSG. Wolfenbüttel HAB.

Veith, S. 125, Nr. 23 erwähnt neben der Ausgabe von 1536 eine weitere Antwerpener Ausgabe von 1538, die sich jedoch nirgends nachweisen ließ.

35.   Straßburg: Crato Mylius 1538

HISTORIA||RVM ET CHRONICORVM TO=||tius Mundi Epitome,
nunc denuo quàm accu||ratißimè tum emendata, tum ab ipso||met
autore diligentißimè || aedita. || [Druckermarke] M. D. XXXVIII. ||
Cum Gratia & Priuilegio Imperiali. ||

8° (16×10 cm) 32 Bl., 277 gez. S., 3 S. (letzte S. Druckermarke)
Sign.: a⁸–d⁸, A⁸–R⁸, S⁴. Widmungsbrief an Leonhard Baier, un-

datiert. Auf Bl. d^{8v} Empfehlungsgedichte von Nikolaus Gerbel d. Ä. und d. J.

Ritter 1816. – Basel UB. Bloomington (Ind.) UB. Bremen SB. Breslau UB. Cambridge UB. Colmar StB. Dresden LB (Kriegsverlust). Dublin Trinity College. Florenz NB. Freiburg i. Br. UB. Fulda LB. Göttingen SUB. Graz UB (Vorbesitzer: Guilielmus Aman 1557; Abt Valentin Abellus von Admont). Kremsmünster StiB. Leipzig UB. London BM (2 Ex., hier jedoch dem Drucker Johannes Herwagen in Basel zugeschrieben). Lübeck StB. Lund UB. München SB. (Kriegsverlust). New York PL. Padua UB. Paris Arsenal. Schlettstadt StB (Vorbesitzer: Beatus Rhenanus). Stockholm KB. Stuttgart LB (2 Ex.). Thorn UB. Trier StB (Vorbesitzer: Jesuitenkolleg). Urbana (Ill.) UB. Wien NB.

36. Venedig: Johannes Antonius de Nicolinis de Sabio für Melchior Sessa 1540

HISTORIA=‖RVM ET CHRONICORVM TOTIVS ‖ Mundi Epitome, Nunc demum accuratius ‖ recognita absolutaqʒ, ac præter infi‖nita loca, alphabetico insuper ‖ indice locupletata. ‖ [Druckermarke] Cum gratia & priulegio, ut ex decreto ‖ Veneti Senatus apparet. ‖

(Am Ende:) Venetijs cum diligenti cura, castigatione, additio=‖nibusqʒ necessariis per Io. Antonium de Nico‖linis de Sabio. Sumptu & requisitine D. ‖ Melchioris Sessæ. Anno MDXL. ‖

8° (15,5×10 cm) 16 Bl., 60 gez. Bl. (letzte S. Druckermarke), Sign.: +^{8}, A^8–H^8, I^4. Widmungsbrief an Leonhard Baier, Lindau im Juni 1532. Privileg des Dogen Andrea Gritti auf 10 Jahre, Venedig am 27. September 1533.

Augsburg SStB. Bloomington (Ind.) UB. Heidelberg UB. London BM. New Haven (Conn.) UB. New York PL. Padua B. del Seminario. Palermo StB. Wien NB.

37.   Lyon: Sulpitius Sapidus für Antonius Constantinus

🖐 EPITO-‖me Historiarum ‖ & Chronicorum ‖ Mundi ‖ [Drucker-marke] PRO ANTONIO CONSTANTINO ‖ Excudebat Sulpitius Sapidus ‖ LVGDVNI. ‖

8° (16 × 10 cm) 243 gez. S., 1 S., 26 Bl. (letzte S. Druckermarke), Sign.: a⁸–s⁸, t⁴. Widmungsbrief an Leonhard Baier, undatiert. Auf Bl. t³r Empfehlungsgedichte von Nikolaus Gerbel d. Ä. und d. J.

Veith, S. 124, Nr. 23. Baudrier, Bibliographie lyonnaise, 2. Folge, S. 30 f. – Amiens StB. Besançon StB. Bloomington (Ind.) UB. Bologna UB. Bordeaux StB. Boston (Mass.) PL. Budapest Akad. Cambridge UB. Danzig StB. Düsseldorf StLB. Florenz NB. Genua UB. Göttingen SUB. Grenoble StB. Modena B. Estense. New Haven (Conn.) UB. Nürnberg StB. Paris NB, Mazarine u. Sorbonne. Prag SUB (2 Ex.). Salzburg UB (2 Ex., davon eines mit Vorbesitzervermerk: KiB. Berchtesgaden). Stuttgart LB (2 Ex.). Ulm StB. Urbana (Ill.) UB. Warschau Bobolanum. Weimar ZB. Wien NB.

Das Erscheinungsjahr liegt auf jeden Fall nach 1536. Die Bibliothekskataloge geben zum Teil 1538 an, was dem tatsächlichen Erscheinungsjahr nahekommen dürfte. Die ebenfalls häufig anzutreffende Datierung um 1550 ist zu spät und zu ungenau.

38.   Antwerpen: Adrian van Berghen für Wouter van Lin, 1533

[Zierleisten] ℂ Een Cro=‖nijcke / waer in als in eē Ta‖fel / seer cor-telic begrepē wort / alle tge‖ne dat bescreuen / eñ gheschiet is vant ‖ beghinsel des werelts / tot desen ‖ Iare tegenwoordich van ‖ XXXIII. ‖ ℂ Hier toe / soe hebben wij ‖ noch aengehangē / dat getal van allen ‖ Keysers / eñ van allen Pausen / totten ‖ Keyser Karolum die vijfste / ende den ‖ Paus Clemens die seuenste ‖ nv teghenwoordich. ‖ 🖐 🖐 ‖ ℂ Gheprent Tantwerpē voor Wou=‖ter van Lin wonēde op die Lombaerde ‖ veste naest den Guldenhant. ‖ ℂ Men vintse oec te coope int Guldē ‖ Missael in die Cāmerstrate By Adri‖aen van Berghen. ‖ Anno. 1533. ‖

8° 78 Bl. Sign.: A⁸–I⁸, K⁶.

Nijhoff-Kronenberg 956. – Gent UB. 's-Gravenhage KB.

39.   Antwerpen: Adrian van Berghen 1534

❡ Een Chronijcke / ‖ waer in als in eē Tafel / seer cortelic begrepē ‖ wort / alle tghene dat bescreuen / eñ geschiet is vant beginsel ‖ des werelts / ... ‖ Wt verscheydē Chronijckē met groter neersticheyt ver‖gadert doer Achillem Gassarū tot Lindauwe ‖ in Oostenrijck. ‖ 🐦 🐦 ‖ ❡ Item hier toe heb‖ben wij gedaen noch veel vreemde geschiede=‖nissen by onsen tijdē gesciet die in dander nieten zijn / ‖ ghecorrigeert eñ ghebetert tot veel ‖ plaetsen. etc. ‖ 🐦 🐦 ‖ ❡ Hier toe / soe hebben wij noch by geset dat ‖ ghetal van allen Keysers eñ van allen Pausen / ... ‖ 🐦 🐦 ‖ ❡ Gheprent Thantwerpen by mi Adriaen van Bergen in ‖ die Cāmerstrate int Gulden Missael. ‖ 1534. ‖

8° (14,5 × 10 cm) 84 Bl. (letzte S. leer). Sign.: a⁸–k⁸, l⁸, Widmungsbrief an Leonhard Baier, Lindau im Juni 1533.

Nijhoff-Kronenberg 957. – Brüssel KB. Löwen UB (Kriegsverlust 1914). Trier StB.

40.   Antwerpen: Adrian van Berghen für Wouter van Lin 1534

❡ Een Chronijcke / ‖ waer iu als in een Tafel / seer cortelic begrepē ‖ wort / alle tghene dat bescreuen / eñ gheschiet is vant beghinsel ‖ des werelts / tot ... ‖ ... doer Achillem Gassarū tot Lindauwe ‖ in Oostenrijk. ‖ ... ‖ ❡ Gheprent Tantwerpen voor Wouter van Lin wonēde op ‖ die Lombaerde veste naest den Gulden hant 🐦 🐦 ‖ ❡ Men vintse oec te coope int Gulden Missael in die Cāmer‖strate by Adriaen van Berghen. ‖ 1534. ‖

8° 84 Bl. Sign.: a⁸–k⁸, l⁴. Widmungsbrief an Leonhard Baier, Lindau im Juni 1533.

Nijhoff-Kronenberg 958. – Brüssel KB. 's-Gravenhage KB.

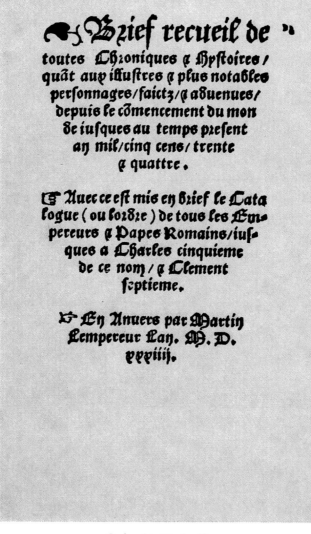

Gedruckte Werke 42

41.   Amsterdam: Jan Seversz. die Croepel [1534]

✠ Een Chronijcke / || waer in als in een Tafel / seer cortelic begrepē ||
wort / alle tgene dat bescreuē is vāt || beginsel des werelts / tot . . . door
|| Achillem Gassarum tot Lindauwe || in Oostenrijck. || . . . ||
(Am Ende:) Geprent tot Aem||stelredam / by my Ian Seuer soon
dye || Croepel / woonende inden Nijsel / in dye || vyer Heemskinderen ||
✠ ||

8° 84 Bl. Sign.: A⁸–K⁸, L⁴.

Nijhoff-Kronenberg 959. – 's-Gravenhage KB.

42.   Antwerpen: Martin Lempereur 1534

🖎 Brief recueil de || toutes Chroniques & Hystoires / || quāt aux
illustres & plus notables || personnages / faictz / & aduenues / || depuis
le cōmencement du mon||de iusques au temps present || an mil / cinq
cens / trente || & quattre. || ☞ Avec ce est mis en brief le Cata||logue
(ou lordre) de tous les Em-||pereurs & Papes Romains / ius-||ques a
Charles cinquieme || de ce nom / & Clement || septieme. || ☞ En
Anuers par Martin || Lempereur Lan M. D. ||. xxxiiij. ||

8° 88 gez. Bl. Sign.: A⁸–L⁸. Auf Bl. 86ᵛ »Le contenu en brief || des
lettres du tres illustre Dauid Roy || Dethiope dict Preteian / . . .«.

Nijhoff-Kronenberg 960. – Brüssel KB. Chicago (Ill.) Newberry
Libr. Löwen UB. Paris NB.

b) Kleinere historische Schriften

43.   [ca. 1540]

[Zierleiste] ℭ Supputa=||tio annorum mundi. ||

8° (15,5 × 10 cm) 116 Bl. Sign.: +⁸, +⁸, A⁸–M⁸, N⁴.

Paris Sorbonne. Salzburg UB.

Das Buch wird weder bei Brucker noch bei Veith erwähnt, zuweilen aber in
Bibliothekskatalogen Gasser zugeschrieben. Die Verfasserschaft Gassers bleibt
jedoch fragwürdig.

44.   Augsburg: 1554

CATALOGVS RE=‖GVM OMNIVM, QVORVM SVB ‖ CHRISTI-
ANA PROFESSIONE ‖ PER EVROPAM ADHVC ‖ Regna flo-
rent. ‖ IN GRATIAM DOMINI VRRICHI FVGGARI, KYRCH-
BERGÆ ET ‖ Weissenhorni comitis etc. Per Achillem P. ‖ Gasserum
L. Anno salutis 1554. ‖ collectus et primum ‖ æditus. ‖

4° (19,5 × 15 cm) 32 Bl. Sign.: A⁴–H⁴. Widmungsbrief an Ulrich
Fugger, Augsburg im Juli 1554. Auf der Titelrückseite Fuggerwap-
pen, auf dem letzten Bl. Gasserwappen. Im Text 21 Wappen der
Länder Europas.

Brucker, S. 1018, Nr. 1. Veith, S. 123, Nr. 21. Stevenson 2132.
Auktionskatalog Karl und Faber Nr. 23, München 1936, Nr. 802
(Handexemplar Gassers mit zahlreichen handschriftlichen Einträ-
gen, reich illuminiert). – Augsburg SStB. Bern StUB. Bologna UB.
Cambridge UB. Dresden LB. Erfurt Wiss. StB. Freiburg i. Br. UB.
Göttingen SUB. Greifswald UB. Harburg Fürstl. Bibl. (vor 1936).
Krakau Czart. B. Leipzig UB. London BM. Modena Bibl. Estense.
München UB. Nürnberg GM (mit eigenhändiger Widmung Gas-
sers an Philipp Wirsung). Paris NB u. Mazarine. Prag SUB. Rom
Vat. Stuttgart LB (2 Ex.). Tübingen UB. Wien NB.

Dieser Katalog Gassers wurde später abgedruckt im 3. Band des »Chronicon
Chronicorum« von Janus Gruterus sowie im 1. Band (S. 794–828) des »Chronicon
chronicorum politicum« von Johannes Gualterius (Frankfurt/Main, 1614).

45.   Basel: Jakob Kündig 1555

🐦 De Regibus ‖ Hierosolymitanis, tam ex Iu‖daica lege, quàm ex
Chri-‖stiana professione progna-‖tis, Achillis P. Gassa-‖ri L. Chronica ‖ rhapsodia. ‖ Nunc primum impressa. ‖ [Zwei Wappen, links die
Leier, darüber »Dauid Hebraeus.«; rechts das Jerusalemkreuz,
darüber »Gotfridus Francus«]

(Am Ende:) BASILEÆ PER IA=‖cobum Parcum, anno ‖ M. D. LV. ‖

8° (16 × 10 cm) 64 gez. S. (letzte S. leer), Sign.: a⁸–d⁸, e⁴. Widmungsbrief an Christoph Ehem, undatiert.

Brucker, S. 1018, Nr. 2. Veith, S. 123, Nr. 22 (fälschlich 1559).
Stevenson 1605. – Amiens StB. Bern StUB. Göttingen SUB.
London BM. Paris NB. Rom Vat. (mit handschriftlicher Notiz
Gassers »e Basilea allatus Dec. 1554«). St. Gallen StB. Stuttgart
LB (Kriegsverlust).

Wie aus der eigenhändigen Notiz Gassers in dem Exemplar der Vatikanischen
Bibliothek ersichtlich, muß die mit 1555 datierte Auflage bereits Ende des Jahres
1554 ausgeliefert worden sein. Mithin wäre die Existenz von Exemplaren, die
im Titelblatt die Jahreszahl 1554 aufweisen, denkbar; ein Nachweis konnte jedoch
bisher nicht erbracht werden.

c) Augsburger Chronik

Nr. 46   Hanau: Wilhelm Antonius 1593

ANNALES AVGVSTANI. ||

2° (32 × 20,5 cm) 132 gez. S. Sign.: A⁸–L⁸. Ein Titelblatt wurde
nicht gedruckt.
Richter Sp. 1119f. (vgl. auch Sp. 795f.) – Augsburg SStB.

Es handelt sich hier um das sogenannte Hanauer Fragment, das infolge einiger
Proteste nicht zu Ende gedruckt werden konnte.

47.   Leipzig: Johann Christian Martin 1728

Mencke, Johann Burchard: SCRIPTORES || RERVM || [Rot:]
GERMANICARVM, || ... || [schwarz:] EX SVA BIBLIOTHECA
ALIISQVE EDIDIT || [rot:] IO. BVRCHARDVS MENCKENIVS,
|| ... || TOMVS I. || [schwarz:] CVM FIGVRIS AENEIS. || [Drucker-
marke] LIPSIAE, || [rot:] IMPENSIS IOANNES CHRISTIANI
MARTINI. || [schwarz:] M D CC XXVIII. ||

2°(35 × 22 cm) 2132 gez. Sp. 1 S. Sign.: a⁴–c⁴, d², A⁴–Z⁴, Aa⁴–Zz⁴,
Aaa⁴–Zzz⁴, Aaaa⁴–Zzzz⁴, Aaaaa⁴–Zzzzz⁴, Aaaaaa⁴–Ssssss⁴, Tttttt¹.
Auf Sp. 1315–1954 der lateinische Text von Gassers Annales
Augustani. Auf Sp. 1951ff. Widmungsbrief Gassers an den Rat der
Stadt Augsburg, Augsburg im Mai 1576. Auf Sp. 1954 Brief Gas-
sers an Johann Baptist Haintzel, Augsburg am 30. Januar 1572.

Vorangestellt ist ein Kupferstichporträt Gassers. Im Text Kupfer-
stichtafeln mit verschiedenen Wappen.

Brucker, S. 1020. Veith, S. 128. – Augsburg SStB. Baltimore (My.)
Peabody Institute Library. Berlin SB. Boston (Mass.) PL. Edinburgh NB. Ithaca (N. Y.) UB. Leipzig UB. London BM. Luxemburg NB. New Haven (Conn.) UB. New York Col. UB. Paris BSG.
Prag SUB. Ulm StB. Uppsala UB. Weimar ZB. Zürich ZB.

48.   Frankfurt: Christian Egenolffs Erben 1595

Ander theil ‖ (D)er Weitberůmpten Key‖serlichen Freyen vnd deß
H. Reichsstatt ‖ Augspurg in Schwaben / Chronica: Auß weylandt ‖
deß Ehrnvesten vnd hochgelårten Achillis P. Gas-‖seri von Lindaw /
der Artzney Doctoris vnd ehege-‖dachter Statt Augspurg verordnetē
Physici, Chronica (so er mit gros-‖ser Mühe vnnd sonderm fleiß
zusamen getragen / vnd inn Lateinisch-‖er Spraach beschriben)
gezogen / . . . ‖ . . . inn ‖ vnser Teutsche Spraach inn offentlichen
Truck gegeben / ‖ . . . ‖ Durch ‖ . . . Wolffgangum ‖ Hartmannum
Pfarherrn zu Eberspach. ‖ [Drei Eicheln] [Holzschnitt mit dem
Augsburger Wappen] ‖ Getruckt zu Basel / Im Jahr / ‖ M. D. LXXXXv.

2° 2 Bl., 282 S., 1 Bl. (leer). Sign.:):(², Aa⁴–Zz⁴, Aaa⁴–Lll⁴, Mmm⁶.
Holzschnitte. Vorrede von Wolfgang Hartmann an Wolff Dietrich
Caesar, Ebersbach am 1. März 1595.

Dritter vnd letster Theil. ‖ [Xylogr.:] Der Weitbe=‖rüempten Keyser-
lichen ‖ [typogr.:] Freyen vnnd des H. Reichsstatt Aug-‖spurg in
Schwaben / Chronica: . . . ‖ Durch ‖ . . . Wolffgangum Hart-‖man-
num Pfarherrn zu Eberspach. ‖ [Holzschnitt des Augsburger Wappens,
links Figur des Raetus, rechts Figur des Drusus] ‖ Getruckt zu Basel
M. D. XCVI. ‖

2° 4 Bl. (letztes Bl. leer), 141 gez. S., 1 Bl. (leer), Sign.:)(⁴, A⁴–S⁴.
Holzschnitte. Gedichte von Salomon Frenzel (deutsch von Johann
Adam Lonicer) und von Bernhard Heupold von Gundelfingen.

Brucker, S. 1019 ff. Veith, S. 125 ff., Nr. 16. Graesse VI. 2. 435. Richter Sp. 1036 f., Nr. 614 (mit Abbildungen). – Aarau KB. Augsburg SStB (19 Ex., vgl. im einzelnen Richter, Sp. 1037). Basel UB. Berlin SB. Bern StUB. Budapest NB. Erlangen UB. Hannover LB. Heidelberg UB. Ithaca (N. Y.) UB. Linz UB. London BM. Mainz StB. Marburg UB (Vorbesitzer: V. L. Welser). Minneapolis (Minn.) UB. München SB (3 Ex.). München StB (nur 2. Teil). München UB. New York PL. Nürnberg GM u. StB. Prag SUB. Riga SB. Stuttgart LB (nur 2. Teil). Tübingen UB. Urbana (Ill.) UB. Wien NB. u. UB. Wolfenbüttel HAB. Zürich ZB (nur 2. Teil).

Die deutsche Übersetzung von Gassers »Annales civitatis Augstburgensis« erschien im Druck zuerst als 2. und 3. Teil der Augsburger Chronik von Markus Welser (genaue Titelaufnahme und Abb. des Titelblattes vgl. Richter a. a. O.). Wegen eines Frankfurter Zensurverbotes wurde als Druckort Basel fingiert. Zur Problematik dieses Druckes vgl. I, S. 169 ff.

4. PHILOLOGISCHE SCHRIFTEN

a) Epitaphia

49.   Augsburg: 1554

EPITAPHIA ‖ LVTHERI GASSARI ‖ AVGVSTANI ‖ Θ VIII
MARTII ‖ M. D. LIIII. ‖

8° 8 Bl.

Stevenson 1751. – London BM. Rom Vat.

b) Otfrid

50.   Basel: 1571

Otfrid von Weißenburg: OTFRIDI ‖ EVANGELIORVM ‖ LIBER:
‖ ueterum Germanorum gramma=‖ticæ, poeseos, theologiæ, ‖ præ-
clarum moni-‖mentum. ‖ Euangelien Buch / in alt-‖frenckischen rei-
men / durch Otfri-‖den von Weissenburg / Münch zu ‖ S. Gallen / vor
sibenhun-‖dert jaren beschri-‖ben: ‖ Jetz aber mit gunst deß gestrengē ‖
ehrenuesten herrn Adolphen Herman Riede-‖sel / Erbmarschalk zu
Hessen / der alten Teut-‖schen spraach vnd gottsforcht zuerlernē / ‖ in
truck verfertiget. ‖ BASILEAE. M.D.LXXI. ‖

8° (16 × 10 cm) 44 Bl., 574 gez. S. Auf der Titelrückseite Riedesel-
wappen. Widmungsbrief des Herausgebers Matthias Flacius
Illyricus an Adolf Hermann Riedesel, Straßburg am 1. September
1571.

Brucker, S. 1017. – Augsburg SStB. Basel UB. Jena UB.

Herausgeber dieses Druckes ist Matthias Flacius Illyricus; doch muß Gasser als
der eigentliche Bearbeiter dieser Ausgabe gelten.

III. SCHRIFTTUMSVERZEICHNIS

ADAM, Melchior: Vitae Germanorum Medicorum, Heidelberg 1620, S. 233–235.

ASCHBACH, Joseph Ritter von: Die Wiener Universität und ihre Humanisten im Zeitalter Kaiser Maximilians I., Wien 1877.

BARACK, Karl August: Zimmersche Chronik, 3. Band, Freiburg i. Br./Tübingen 1881 (S. 173 und S. 543).

BALMER, Heinz: Beiträge zur Geschichte der Erkenntnis des Erdmagnetismus, Aarau 1956.

BERICHT über die Dr. J. M. Ziegler'sche Kartensammlung 16, Verhandlungen der naturforschenden Gesellschaft Basel, Basel 1894, S. 873–876.

BLENDINGER, Friedrich: Achilles Pirmin Gasser, Neue deutsche Biographie, Berlin 1964, S. 79–80.

BRIEGER, Theodor: Ein Brief Aurifabers an A. P. Gasser, Weimar, 28. November 1559, Zeitschrift für Kirchengeschichte 12, 1891, S. 624–626.

BROD, Max: Johannes Reuchlin und sein Kampf, eine historische Monographie, Stuttgart 1965.

BRUCKER, Jakob: Ehrentempel der deutschen Gelehrsamkeit, Augsburg 1747.

BRUCKER, Jakob: Miscellanea de vita et scriptis A. P. Gassari, Augsburg 1748.

BRUCKER, Jakob: De vita et scriptis Achillis Pirminii Gasseri Lindaviensis dissertatio, in: Amoenitates literariae, 10. Band, Frankfurt/Leipzig 1729.

BURG, A. M.: Catalogue des livres des XVe et XVIe siècles imprimés à Haguenau de la Bibliothèque Municipale de Haguenau, in: Etudes haguenoviennes, NS 2, 1956/57, S. 76, Nr. 223 u. S. 100, Nr. 323.

BURMEISTER, Karl Heinz: Achilles Pirmin Gasser (1505–1577) as a geographer and cartographer, Imago Mundi 24 (im Druck).

BURMEISTER, Karl Heinz: Achilles Pirmin Gasser als Stadtarzt von Feldkirch, Montfort 20, 1968, S. 326–342.

BURMEISTER, Karl Heinz: Georg Joachim Rhetikus 1514–1574, eine Bio-Bibliographie, 3 Bände, Wiesbaden 1967/68.

BURMEISTER, Karl Heinz: Georg Joachim Rheticus und Achilles Pirmin Gasser, Schriften des Vereins für Geschichte des Bodensees und seiner Umgebung 86, 1968, S. 217–225.

BURMEISTER, Karl Heinz: Sebastian Münster auf dem Augsburger Reichstag 1547, Heimat-Jahrbuch für den Landkreis Bingen 1971, Bingen 1970 (im Druck).

CATALOGUE of Printed Books in the Wellcome Historical Medical Library, 1. Band: Books printed before 1641, London 1962.

CRUSIUS, Martin: Schwäbische Chronik, 2. Band, Frankfurt 1733.

DIRR, P.: Clemens Jäger und seine Augsburger Ehrenbücher und Zunftchroniken, Zur Kenntnis der Historiographie des 16. Jahrhunderts, Zeitschrift des Historischen Vereins für Schwaben und Neuburg 36, 1910, S. 1–32.

DURLING, Richard, J.: A Catalogue of Sixteenth Century Books in the National Library of Medicine, Bethesda 1967.

DURLING, Richard J.: Conrad Gesner's Liber amicorum, 1555 bis 1565, in: Gesnerus 22, 1965, S. 134–159.

ECKERT, Ferdinand: Geschichte der Lateinschule Lindau. Festschrift zum Gedächtnis der Gründung der Lateinschule Lindau vor 400 Jahren 1528–1928 (Neujahrsblätter des Museums-Vereins Lindau 8), Lindau 1928.

FLEISCHMANN, Joseph: Achilles Pirminius Gasser, in: Lebensbilder aus dem Bayerischen Schwaben, hg. von Götz Freiherrn von Pölnitz, 6. Band, München 1958, S. 259–291.

FÖRSTEMANN, Karl Eduard: Album Academiae Vitebergensis ab anno a. Chr. MDII usque ad MDLX, Leipzig 1841.

FREHER, Paul: Theatrum virorum eruditorum clarissimorum, 3. Band, S. 1275.

FRENSDORFF, Ferdinand: Achilles Pirmin Gasser, in: Allgemeine deutsche Biographie, 8. Band, S. 396–397.

FRENSDORFF, Ferdinand: Die Chroniken der deutschen Städte IV: Die Chroniken der schwäbischen Städte, Augsburg, 1. Band, Leipzig 1865.

GAGLIARDI, E. und F. FORRER: Katalog der Handschriften der Zentralbibliothek Zürich, 2. Band, Neuere Handschriften seit 1500, Zürich 1931–1967, Sp. 360 und Sp. 1804.

GEBELE, Eduard: Die Augsburger Bibliophilen, Zeitschrift des Historischen Vereins für Schwaben und Neuburg 52, 1936, S. 23.

GEIGER, Ludwig: Johann Reuchlin, sein Leben und seine Werke, Reprint Nieuwkoop 1964.

GESSNER, Konrad: Bibliotheca Universalis, Zürich 1554.

GOURON, Marcel: Matricule de l'Université de Médicine de Montpellier (1503–1599), Genf 1957.

GRÜNDER, J. W. L.: Geschichte der Chirurgie von den Urzeiten bis zu Anfang des achtzehnten Jahrhunderts, Breslau 1859.

HEIDER, Jakob: Genealogia Lindaviensis, 2. Band (Manuskript im Stadtarchiv Lindau).

HELMICH, Egon: Die Briefe Konrad Gesners an Crato von Krafftheim, Düsseldorf 1938.

HEUMANN, Johannes: Documenta Literaria, Altdorf 1758.

HOLDER, Alfred: Die Handschriften der Badischen Landesbibliothek, 3. Band, Die Durlacher und Rastatter Handschriften, Karlsruhe 1895.

HORAWITZ, Adalbert: Caspar Bruschius, Ein Beitrag zur Geschichte des Humanismus und der Reformation, Prag/Wien 1874.

HOUZEAU, J. H. und A. Lancaster: Bibliographie générale de l'astronomie, Brüssel 1882/89.

JORDAN, J.: Sebastian Münster und Achilles Gasser, Bodensee-Heimat-Schau 75, Lindau 1928, Nr. 20.

KARO, G.: Das Lindauer Gespräch, Ein Beitrag zur Geschichte der Concordienformel, Zeitschrift für wissenschaftliche Theologie 45, Leipzig 1902, S. 513–564.

KATTERMANN, Gerhard: Ein Buchgeschenk des Flacius Illyricus aus dem Kreis der Otfrid-Textüberlieferung und andere Überreste der Bücherei A. P. Gassers in der Badischen Landesbibliothek, Neue Heidelberger Jahrbücher N. F. 1939, Heidelberg 1939, S. 84–89.

LEHMANN, Paul: Eine Geschichte der alten Fuggerbibliotheken, 2. Teil, Quellen und Rekonstruktionen, Tübingen 1960.

LEHMANN, Paul: Johannes Sichardus und die von ihm benutzten Bibliotheken und Handschriften, München 1911 (S. 100).

MAZZINI, Giovanni: Libri stampati Vaticani Latini 2670–2830, Città del Vaticano 1953.

NÄGELE, Hans: Der Feldkircher Stadtarzt Achilles Gasser in der Geschichte der Manessischen Handschrift, Feierabend (Wochenbeilage zum »Vorarlberger Tagblatt«) 13, 1931, S. 566–567.

NIJHOFF, W. und M. Kronenberg: Nederlandsche Bibliographie van 1500–1540, 's-Gravenhage 1923 ff.

PEINE, Hans: Briefe Konrad Gesners an seine Freunde Gasser und Culmann, Med. Diss. Düsseldorf 1939.

POLLARD, A. W. und G. R. Redgrave: A Short-Title Catalogue of Books printed in England, Scotland und Ireland and of English Books printed Abroad 1475–1640, London 1926.

PREISENDANZ, K.: Die Handschriften der Badischen Landesbibliothek, 8. Band, Die Karlsruher Handschriften, 2. Band, Karlsruhe 1926 (S. 35–36).

RADLKOFER, Max: Leben und Schriften des Georg Frölich, Zeitschrift des Historischen Vereins für Schwaben und Neuburg 27, Augsburg 1900, S. 46–132.

RICHTER, Günter: Christian Egenolffs Erben (Archiv für Geschichte des Buchwesens 7. Band), Frankfurt 1966 (Sp. 793 ff. und Bibliographie Nr. 614).

RITTER, Fr.: Catalogue des livres du XVIe siècle, Straßburg 1960 (Nr. 1324 und Nr. 1816).

SCHEDLER, Robert: Die Freiherren von Sax zu Hohensax, St. Galler Neujahrsblatt 1919.

SCHOTTENLOHER, Karl: Bibliographie zur deutschen Geschichte im Zeitalter der Glaubensspaltung 1517–1585, 6 Bände, Leipzig 1933–1940 und 7. Band, Stuttgart 1966.

SCHOTTENLOHER, Karl: Pfalzgraf Ottheinrich und das Buch, Ein Beitrag zur Geschichte der evangelischen Publizistik, Münster i. W. 1927.

SCHRAUF, Karl: Acta Facultatis medicae universitatis Vindobonensis, 3. Band, 1490–1558, Wien 1904.

SCHUNKE, Ilse: Die Einbände der Palatina in der vatikanischen Bibliothek, 3. Bände, Città del Vaticano 1962 (= Studi e testi 216–218), 1. Band, S. 198 ff.

SIEGRIST, Werner: A Map of Allgäu, 1534, in: Imago Mundi 6, Stockholm, 1950, S. 27–30.

STEVENSON, Enrico: Inventario dei libri stampati Palatino-Vaticani, Rom 1886–1889.

SUDHOFF, Karl: Iatromathematiker vornehmlich im 15. und 16. Jahrhundert (Abhandlungen zur Geschichte der Medizin 2), Breslau 1902.

UHLHORN, Gerhard: Urbanus Rhegius, Leben und ausgewählte Schriften, Elberfeld 1861.

VEESENMEYER, Georg: Nachlese zu Bruckers Nachricht von Achilles Pirminius Gasser, Sammlung von Aufsätzen zur Erläuterung der Kirchen-, Literatur-, Münz- und Sittengeschichte, besonders des 16. Jahrhunderts, Ulm 1827, S. 73–89.

VEITH, Franz Anton: Bibliotheca Augustana, Alphabetum VIII, Augsburg 1792, S. 106–130.

WANKMÜLLER, Armin: Zur Apothekengeschichte von Feldkirch im 16. Jahrhundert, Österreichische Apotheker-Zeitung 23, 1969, Sp. 795 f.

WELTI, Ludwig: Humanistisches Bildungsstreben in Voralberg, in: Montfort 17, 1965, S. 126–162.

WELTI, Ludwig: Merk Sittich und Wolf Dietrich von Ems, Die Wegbereiter zum Aufstiege des Hauses Hohenems, Dornbirn 1952.

WERNER, Anton: Zur Geschichte der Augsburger Apotheken 1346–1845, Zeitschrift des Historischen Vereins für Schwaben und Neuburg 36, Augsburg 1910, S. 33–46.

WOLFART, K.: Geschichte der Stadt Lindau, 2 Bände, Lindau 1909.

ZINNER, Ernst: Deutsche und niederländische astronomische Instrumente des 11. bis 18. Jahrhunderts, München 1956.

ZINNER, Ernst: Geschichte und Bibliographie der astronomischen Literatur in Deutschland zur Zeit der Renaissance, 2. Aufl., Stuttgart 1964.

ANHANG

ZEITTAFEL

1505	Gasser in Lindau geboren (3. November)
1517	Tod des Vaters Ulrich Gasser in Löwen
1520	Lateinschule in Schlettstadt (Sapidus)
1522	Privatunterricht bei Urbanus Rhegius in Langenargen
1522	Bekenntnis zum Luthertum
1522/25	Studium in Wittenberg (Melanchthon)
1525/27	Studium in Wien (Tannstetter)
1527/28	Studium in Montpellier (Schyron)
1528	Studium in Avignon (de Ripa)
1528	Promotion in Orange (Villanova)
1529	Arzt in Lindau
1531	Gassers erste Kometenschrift
1532	»Historiarum Epitome« erschienen in Basel
1534	Bodenseekarte für Sebastian Münster
1535	Tod der Mutter Ursula von Randeck
1536	Arzt in Feldkirch
	Gasser heiratet Katharina Werder († um 1544)
1540	Bekenntnis zur Lehre des Kopernikus
1544	Gassers erste Pestschrift
1546	Arzt in Augsburg
	Gasser heiratet Anna Maria Ehem († 1551)
1547	Beginn der Arbeit an den Augsburger Annalen
1552	Gasser heiratet Scholastica Bühler (geschieden 1561)
1554	Badereise nach Baden im Aargau
1555	Begegnung mit Konrad Gessner in Augsburg

1558	Edition des Petrus Perigrinus »De Magnete«
1563/64	Gasser Pestarzt des Rates
1564	Gassers zweite Pestschrift
	Gutachten zur Augsburger Apothekenordnung
1571	Edition des Otfrid (mit Flacius Illyricus)
1575	Lindauer Gespräch
1576	Beendigung der Ausgburger Annalen
1577	Gasser in Augsburg gestorben (4. Dezember)

AUTOREN- UND TITELREGISTER

I. Handschriften

II. Gedruckte Werke

VERZEICHNIS DER ARCHIVE UND BIBLIOTHEKEN

Aarau, Kantonsbibliothek
Aberdeen, University Library
Amiens, Bibliothèque Municipale
Amsterdam, Universiteits-Bibliotheek
Ann Arbor (Michigan), University Library
Augsburg, Staats- und Stadtbibliothek
Augsburg, Stadtarchiv
Baltimore (Maryland), Peabody Institute Library
Basel, Universitätsbibliothek
Bergamo, Biblioteca Civica
Berlin, Deutsche Staatsbibliothek
Bern, Stadt- und Universitätsbibliothek
Besançon, Bibliothèque Municipale
Bethesda (Maryland), National Library of Medicine
Bloomington (Indiana), University Library
Bologna, Biblioteca Universitaria
Bordeaux, Bibliothèque Municipale
Boston (Massachusetts), Public Library
Bregenz, Voralberger Landesarchiv
Bremen, Staatsbibliothek
Brescia, Biblioteca Queriniana
Breslau (Wrocław), Biblioteka Uniwersytecka
Breslau (Wrocław), Ossolineum
Brüssel (Bruxelles), Bibliothèque Royale
Budapest, Magyar Tudományos Akadémia Könyvtára
Budapest, Országos Széchényi Könyvtár
Cambridge, University Library
Chicago (Illinois), University Library
Chicago (Illinois), Newberry Library
Chicago (Illinois), John Crerar Library

Coburg, Landesbibliothek
Colmar, Bibliothèque de la Ville
Danzig (Gdańsk), Biblioteka Gdańska P. A. N.
Darmstadt, Hessische Landes- und Hochschulbibliothek
Dresden, Landesbibliothek
Dublin, Trinity College Library
Düsseldorf, Landes- und Stadtbibliothek
Edinburgh, National Library of Scotland
Edinburgh, University Library
Erfurt, Wissenschaftliche Bibliothek der Stadt
Erlangen, Universitätsbibliothek
Evanston (Illinois), University Library
Feldkirch, Stadtarchiv
Florenz (Firenze), Biblioteca Nazionale Centrale
Frankfurt/Main, Senckenbergische Bibliothek
Frankfurt/Main, Stadtarchiv
Freiburg/Breisgau, Universitätsbibliothek
Fulda, Landesbibliothek
Gent, Universiteits-Bibliotheek
Genua (Genova), Biblioteca Universitaria
Gotha, Forschungsbibliothek
Göttingen, Staats- und Universitätsbibliothek
's-Gravenhage, Koninklijke Bibliotheek
Graz, Universitätsbibliothek
Greifswald, Universitätsbibliothek
Grenoble, Bibliothèque de la Ville
Hagenau, Bibliothèque de la Ville

Hamburg, Staats- und Universitäts-
bibliothek
Hannover, Stadtbüchereien
Harburg, Fürstlich Oettingen-Waller-
stein'sche Bibliothek
Hartford (Connecticut), Watkinson
Library
Heidelberg, Universitätsbibliothek
Hohenems, Palastarchiv
Ithaca (New York), University Library
Jena, Universitätsbibliothek
Kiel, Universitätsbibliothek
Kopenhagen (København), University
Library
Kórnik, Biblioteka P. A. N.
Krakau (Kraków), Biblioteka Czar-
toryskich
Krakau (Kraków), Biblioteka Jagiel-
lońska
Kremsmünster, Stiftsbibliothek
Leiden, Universiteits-Bibliotheek
Leipzig, Universitätsbibliothek
Lindau, Stadtarchiv
Linz, Universitätsbibliothek
London, British Museum
London, Wellcome Historical Medical
Library
Los Angeles, University Library
Löwen (Louvain), Bibliothèque de
l'Univertité
Lübeck, Stadtbibliothek
Lucca, Biblioteca Governativa
Lund, Universitetsbiblioteket
Luxemburg, Bibliothèque Nationale
Madrid, Biblioteca Nacional
Mailand (Milano), Biblioteca Trivul-
ziana
Mailand (Milano), Biblioteca Nazionale
Mainz, Stadtbibliothek
Mainz, Universitätsbibliothek
Mantua (Mantova), Biblioteca Co-
munale
Marburg, Universitätsbibliothek
Melk, Stiftsbibliothek
Minneapolis (Minnesota), University
Library

Modena, Biblioteca Estense
Moskau (Moskwa), Biblioteka SSSR
imeni W. I. Lenina
München, Staatsbibliothek
München, Stadtbibliothek
München, Universitätsbibliothek
Münster, Universitätsbibliothek
Nancy, Bibliothèque Publique
Neapel (Napoli), Biblioteca Nazionale
New Haven (Connecticut), University
Library
New York, Columbia University
Library
New York, Public Library
Nürnberg, Germanisches National-
Museum
Nürnberg, Stadtbibliothek
Oslo, Universitetsbiblioteket
Padua (Padova), Biblioteca del Semi-
nario
Padua (Padova), Biblioteca Univer-
sitaria
Palermo, Biblioteca Comunale
Paris, Bibliothèque de l'Arsenal
Paris, Bibliothèque de l'Institut de
France
Paris, Bibliothèque Mazarine
Paris, Bibliothèque Nationale
Paris, Bibliothèque Sainte-Geneviève
Paris, Bibliothèque de l'Université
(Sorbonne)
Parma, Biblioteca Palatina
Philadelphia (Pennsylvania), Univer-
sity Library
Posen (Poznań), Biblioteka Poznań-
kiego Tow. Przyhaciół Nauk
Prag (Praha), Universitní Knihovna
Princeton (New Jersey), University
Library
Providence (Rhode Island), John
Carter Brown Library
Rennes, Bibliothèque Municipale
Riga, Latvijas PSR Valsts Biblioteka
Rom (Roma), Biblioteca Barberiana
Rom (Roma), Biblioteca Universitaria
Rom (Roma), Biblioteca Nazionale

Rom (Roma), Biblioteca Vaticana
Saint Andrews, University Library
Salzburg, Universitätsbibliothek
Schlettstadt (Sélestat), Bibliothèque
de la Ville
Stockholm, Kungliga Biblioteket
Stuttgart, Landesbibliothek
Thorn (Toruń), Biblioteka Uniwer-
sytecka
Trient (Trento), Biblioteca Comunale
Trier, Stadtbibliothek
Tübingen, Universitätsbibliothek
Ulm, Stadtbibliothek
Uppsala, Universitetsbiblioteket
Urbana (Illinois), University Library
Utrecht, Universiteits-Bibliotheek

Venedig (Venezia), Biblioteca Nazio-
nale di San Marco
Warschau (Warszawa), Biblioteka
Boboluanum
Warschau (Warszawa), Biblioteka
Narodowa
Washington (D.C.), Library of Con-
gress
Weimar, Zentralbibliothek der Deut-
schen Klassik
Wien, Nationalbibliothek
Winterthur, Stadtbibliothek
Wolfenbüttel, Herzog August Biblio-
thek
Würzburg, Universitätsbibliothek
Zürich, Zentralbibliothek

PERSONENREGISTER

SACHREGISTER

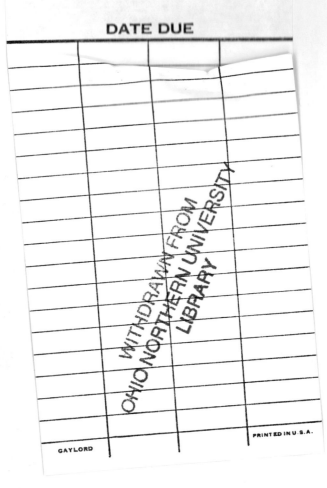